# LA
# PHILOSOPHIE
# DE
# L'ICEBERG

Infographie : Johanne Lemay
Correction : Brigitte Lépine

Catalogage avant publication de Bibliothèque et
Archives nationales du Québec et Bibliothèque et
Archives Canada

Milot, Stéphanie

    La philosophie de l'iceberg : découvrez le potentiel
caché en vous
    Comprend des réf. bibliogr.
    ISBN  978-2-7619-2475-7

    1. Potentiel humain (Psychologie). 2. Motivation
(Psychologie). I. Fournier, Isabelle, 1981-  . II. Titre.

BF637.H85M54 2008    158.1    C2008-941462-4

Pour en savoir davantage sur nos publications,
visitez notre site : **www.edhomme.com**
Autres sites à visiter : www.edjour.com
www.edtypo.com • www.edvlb.com
www.edhexagone.com • www.edutilis.com

09-08

Dépôt légal : 2008
Bibliothèque et Archives nationales du Québec

ISBN 978-2-7619-2475-7

DISTRIBUTEURS EXCLUSIFS :

• Pour le Canada et les États-Unis :
  **MESSAGERIES ADP\***
  2315, rue de la Province
  Longueuil, Québec J4G 1G4
  Tél. : 450 640-1237
  Télécopieur : 450 674-6237
  \* filiale du Groupe Sogides inc.,
    filiale du Groupe Livre Quebecor Media inc.

• Pour la France et les autres pays :
  **INTERFORUM editis**
  Immeuble Paryseine, 3, Allée de la Seine
  94854 Ivry CEDEX
  Tél. : 33 (0) 1 49 59 11 56/91
  Télécopieur : 33 (0) 1 49 59 11 33
  **Service commandes France Métropolitaine**
  Tél. : 33 (0) 2 38 32 71 00
  Télécopieur : 33 (0) 2 38 32 71 28
  Internet : www.interforum.fr
  **Service commandes Export – DOM-TOM**
  Télécopieur : 33 (0) 2 38 32 78 86
  Internet : www.interforum.fr
  Courriel : cdes-export@interforum.fr

• Pour la Suisse :
  **INTERFORUM editis SUISSE**
  Case postale 69 – CH 1701 Fribourg – Suisse
  Tél. : 41 (0) 26 460 80 60
  Télécopieur : 41 (0) 26 460 80 68
  Internet : www.interforumsuisse.ch
  Courriel : office@interforumsuisse.ch
  **Distributeur : OLF S.A.**
  ZI. 3, Corminboeuf
  Case postale 1061 – CH 1701 Fribourg – Suisse
  **Commandes :**    Tél. : 41 (0) 26 467 53 33
                    Télécopieur : 41 (0) 26 467 54 66
                    Internet : www.olf.ch
                    Courriel : information@olf.ch

• Pour la Belgique et le Luxembourg :
  **INTERFORUM editis BENELUX S.A.**
  Boulevard de l'Europe 117,
  B-1301 Wavre – Belgique
  Tél. : 32 (0) 10 42 03 20
  Télécopieur : 32 (0) 10 41 20 24
  Internet : www.interforum.be
  Courriel : info@interforum.be

Gouvernement du Québec – Programme de crédit
d'impôt pour l'édition de livres – Gestion SODEC –
www.sodec.gouv.qc.ca

L'Éditeur bénéficie du soutien de la Société de développement des entreprises culturelles du Québec pour
son programme d'édition.

Le Conseil des Arts du Canada
The Canada Council for the Arts

Nous remercions le Conseil des Arts du Canada de
l'aide accordée à notre programme de publication.

Nous reconnaissons l'aide financière du gouvernement du Canada par l'entremise du Programme
d'aide au développement de l'industrie de l'édition
(PADIÉ) pour nos activités d'édition.

# Stéphanie Milot

avec la collaboration d'Isabelle Fournier

## LA PHILOSOPHIE DE L'ICEBERG

Découvrez le potentiel caché en vous

LES ÉDITIONS DE L'HOMME
Une compagnie de Quebecor Media

# Avant-propos

Au moment où j'ai eu l'idée d'intituler ce livre *La philosophie de l'iceberg*, je me souviens m'être dit : quelle analogie intéressante, car tout comme l'iceberg, les êtres humains ont énormément de ressources et de potentialités cachées en eux.

Quand on regarde un iceberg, on n'en voit qu'une partie, environ 10 %, et le reste est immergé. L'être humain a aussi en lui une part immergée qui ne demande qu'à émerger.

*La philosophie de l'iceberg* a pour but de nous apprendre à libérer ce potentiel caché, que j'appelle notre **plein potentiel**.

Après avoir rencontré des milliers de personnes depuis plusieurs années par le biais des conférences et des consultations que j'ai données en psychothérapie et en coaching, et après avoir étudié les principes fondamentaux du développement du potentiel humain, j'en suis arrivée à la conclusion que cinq éléments vitaux doivent être présents pour libérer ce **plein potentiel**.

Le premier élément est le développement de l'**intelligence émotionnelle**. Cette intelligence nous permet en tant qu'individus d'atteindre le bonheur, l'épanouissement, l'équilibre et le succès dans toutes les sphères de notre vie. Mais si l'intelligence émotionnelle nous offre ces richesses sur un plateau d'argent, nous savons aussi que son développement représente un défi pour de nombreuses personnes. Ce livre nous montrera comment y arriver.

Le deuxième élément est la **reconnaissance**. La reconnaissance à divers niveaux, tout d'abord pour ce que nous possédons, mais aussi à l'égard des autres. Pourquoi certaines personnes sont-elles heureuses même si elles ne possèdent presque rien ? Pourquoi d'autres sont-elles malheureuses dans leurs beaux châteaux ? Quelle ironie ! Nous comprendrons ce que la reconnaissance peut faire dans notre vie et nous verrons comment il est possible de la ressentir, indépendamment des situations que nous vivons.

Le troisième élément est l'**attitude**. Nous savons tous qu'une bonne attitude est primordiale pour réussir à divers niveaux, mais qu'il est souvent difficile de la conserver à travers les événements de notre vie. Nous verrons comment y arriver et nous découvrirons les pouvoirs extraordinaires de l'attitude.

Le quatrième élément, et non le moindre, est le **plaisir**. Pourquoi parler du plaisir dans un livre si sérieux ? Parce que le plaisir est un des dénominateurs communs chez les gens qui ont réussi leur vie. Ces personnes ont du plaisir dans la vie, et cela est un gage de succès. Nous verrons comment remettre du plaisir dans notre vie, mais aussi pourquoi il est si important d'y accorder une attention particulière.

Le cinquième élément est la **motivation**. Pourquoi certaines personnes ont-elles cette capacité à se motiver sans cesse ? Comment arrivent-elles à trouver de la satisfaction même dans certaines tâches moins exaltantes ? Nous découvrirons ce que la motivation peut faire pour nous.

Évidemment, ce livre ne vous sera d'aucune utilité si vous n'en appliquez pas les concepts. Si vous ne faites que le lire en vous disant qu'il est rempli de bon sens, mais qu'à la première occasion vous retombez dans vos anciennes habitudes, vous n'en retirerez aucun bénéfice.

Un jour, alors que j'étais invitée à une émission de télévision pour parler de mon dernier livre sur le succès, l'animateur m'a demandé : « Croyez-vous qu'après avoir lu votre livre les gens auront inévitablement du succès ? Est-ce qu'il y a réellement une recette du succès ? »

Vous aurez compris qu'il n'y a pas de miracle, mais que certains éléments nous aident à atteindre le succès, le bonheur, la paix intérieure, la plénitude et, finalement, notre **plein potentiel**, c'est-à-dire la capacité à être heureux tout en ayant le sentiment de s'être accompli dans l'ensemble des sphères de notre vie. Abraham Maslow, dans sa pyramide, appelait cela la « réalisation de soi ».

Cela dit, la réalisation de soi peut être différente selon les individus, puisque chacun a sa propre définition de ce concept. Heureusement, ce livre vous guidera vers cette réalisation de soi, vers votre **plein potentiel**.

Je souhaite que les outils que vous y trouverez changent votre vie pour le mieux, comme ils l'ont fait pour moi.

Bonne route !

# Introduction

Quelles connaissances réelles possédons-nous par rapport à nous-même ? Avons-nous seulement conscience de notre structure de surface, sommes-nous en mesure de parler de notre structure profonde ? Permettons-nous à notre véritable potentiel de se déployer totalement, ou sommes-nous parfois si submergé par les émotions que nous nous sentons impuissant au point que cela affecte négativement nos relations interpersonnelles ?

La première partie de ce livre se veut un véritable mode d'emploi, d'abord en nous permettant de développer une conscience de soi de qualité. Une fois cette conscience éveillée, différents outils seront présentés dans le but de développer notre maîtrise personnelle. De plus, il sera question d'améliorer nos relations interpersonnelles en explorant notre conscience des autres, notre manière d'être avec eux. C'est ce qu'on appelle la gestion des relations.

Plus précisément, sur le plan des émotions, quel est votre profil ? Êtes-vous plutôt du genre à rester totalement impartial, et ce, peu importe la gravité des situations, ou bien vous laissez-vous glisser dans l'émotion au point d'être complètement envahi par celle-ci ? Cela dit, il est important de préciser que les émotions sont utiles et nécessaires à la vie. Grandes sources d'informations, elles nous font nous sentir vivant en colorant nos expériences. Toutefois, nous allons réfléchir aux conséquences réelles de se laisser aller à ressentir des émotions intenses.

Je me rappellerai toujours le jour où j'ai commencé mes études en psychothérapie. Nous étions assis en cercle lors de la première journée et le professeur nous a posé des questions qui ont changé ma vie : « Êtes-vous conscients que vous entreprenez une formation qui va vous permettre d'aider les gens, et qu'au terme de cette formation vous serez appelés à guider vos clients vers l'acquisition d'outils leur permettant de reprendre le contrôle de leur vie, mais surtout de leurs émotions ? » Une autre importante question allait suivre : « Réalisez-vous que vous ne serez pas crédibles devant quelqu'un si vous n'appliquez pas ce que vous dites ? Vous ne pouvez pas dire à quelqu'un, par exemple, qu'il n'est pas avantageux de se laisser aller à la colère, alors que vous sautez les plombs à la moindre occasion. Vous ne serez jamais des thérapeutes efficaces si vous ne prêchez pas par l'exemple. »

Je me souviens avoir été envahie par deux émotions diamétralement opposées. D'une part, j'ai éprouvé un sentiment de plénitude, je me suis dit : « Cette formation va faire de moi une meilleure personne, car j'aurai à faire un travail sur moi afin de pouvoir par la suite bien intervenir avec mes clients. » Mais l'instant d'après je me suis sentie anxieuse. C'est que je ne prêchais pas toujours par l'exemple. Il m'arrivait de me laisser aller à la colère ou à diverses émotions négatives. Est-ce que j'arriverais à maîtriser, en tout temps, ces émotions ? Voilà un défi qui paraissait bien gros à mes yeux.

Heureusement, j'ai compris avec le temps que le parfait contrôle des émotions est pratiquement impossible. Par contre, j'ai aussi compris que si, la plupart du temps, j'arrivais à prendre conscience des émotions que je vivais, et que par conséquent je pouvais mieux les gérer, j'arriverais à avoir une meilleure qualité de vie et je me rapprocherais de mon plein potentiel.

J'ai aussi pris conscience que, très souvent, lorsqu'on se laisse aller à des émotions négatives, nous en payons le prix. Toutefois, inconsciemment, nous y voyons souvent un avantage.

Pour mieux comprendre, je vous invite à faire l'exercice qui suit.

## Premier exercice :
## Analyse des coûts et bénéfices de nos émotions

Je vous demande d'identifier des émotions désagréables que vous ressentez fréquemment dans votre quotidien et de faire l'analyse de leurs coûts et bénéfices. Cet exercice vous permettra d'identifier les **conséquences** (le prix à payer) des émotions que vous ressentez, mais également de comprendre, en identifiant les bénéfices de ces émotions, les raisons qui font que vous continuez à les ressentir avec tant d'intensité, bien que vous soyez conscient qu'elles sont négatives pour vous.

| Émotions | Coûts<br>Inconvénients de l'émotion | Bénéfices<br>Avantages de l'émotion |
|---|---|---|
| 1. Tristesse<br>Colère | Baisse d'énergie.<br><br>Paroles et gestes qu'on peut regretter. | Être réconforté par un proche.<br>Avoir l'impression de s'affirmer, d'avoir du caractère. |
| 2. Jalousie | Grande insécurité.<br>Paroles et gestes qu'on peut regretter.<br>Possibilité d'affecter la relation avec l'autre. | Être réconforté par l'autre.<br>Se sentir important si l'autre réagit bien à notre réaction.<br>Avoir un sentiment de contrôle sur la relation et sur l'autre. |
| 3. | | |
| 4. | | |
| 5. | | |
| 6. | | |

Il est utile de tenter d'identifier des moyens plus adéquats de retirer les avantages qui vont avec la manifestation de ces émotions intenses et désagréables. Par exemple, en développant ses habiletés à communiquer efficacement, la personne pourrait demander directement le réconfort souhaité, sans avoir besoin de ressentir de la tristesse ou de la jalousie avec intensité.

# DES ÉMOTIONS, DES CONSÉQUENCES

L'exercice précédant nous a permis d'identifier différentes conséquences aux émotions désagréables ressenties. Par exemple :

- diminution significative de la performance ;
- affaiblissement des capacités mentales (concentration, mémoire, analyse, jugement, capacité à résoudre les situations problématiques et à identifier des solutions).

Lorsque j'éprouve du stress, par exemple, je risque d'altérer ma capacité à réagir de la bonne façon et mes performances en seront souvent diminuées. Par exemple, j'enseigne depuis plusieurs années à l'École des hautes études commerciales. Avant chaque examen, certains étudiants vivent beaucoup de stress. Je tente toujours de leur faire comprendre que plus leur niveau de stress est élevé, plus ils risquent d'en subir les conséquences néfastes, comme des trous de mémoire. En comprenant que le stress trop intense nous nuit, nous voyons que nous avons avantage à tenter de le gérer.

Conséquences :
- affaiblissement des talents sociaux (politesse, courtoisie, respect, considération, patience, etc.) ;
- diminution de l'intelligence émotionnelle ;
- dégradation de la qualité de vie professionnelle et personnelle.

Le fait de nous laisser aller à des excès de colère, par exemple, pourrait miner nos relations personnelles et professionnelles.

Conséquences :
- diminution de la satisfaction professionnelle ;
- détérioration de la santé physique et psychologique, apparition de maladies.

Cette dernière conséquence mérite que nous lui accordions une attention particulière. À cet effet, différentes études démontrent l'effet négatif des émotions désagréables sur le système immunitaire et, par conséquent, sur la santé.

Les chercheurs Friedman et Booth-Kewley ont combiné les résultats de plus de cent études sur les liens entre la personnalité et les maladies. Ils ont découvert que l'expérience chronique de sentiments négatifs tels que l'anxiété, la tristesse et l'hostilité rend deux fois plus probable l'apparition d'une variété de problèmes physiques comme l'asthme, les maux de tête, les ulcères et les maladies cardiaques. Plus récemment, Herbert et Cohen ont démontré que les émotions négatives augmentent les problèmes de santé et causent une plus grande vulnérabilité à l'infection. De plus, on constate qu'elles rendent plus difficile la récupération des blessures (Kiecolt-Glaser *et al.*, 1995)[1] et accélèrent le déclin de la santé et du bien-être avec l'âge (Kiecolt-Glaser *et al.* 1991). D'autres faits intéressants seront présentés dans le chapitre sur la reconnaissance, dans la section traitant de la relation entre santé et reconnaissance.

*Les conséquences des émotions désagréables...*
*de bonnes motivations pour développer*
*notre intelligence émotionnelle et ainsi éveiller*
*notre plein potentiel !*

Enfin, lorsque nous nous laissons aller à ressentir des émotions désagréables par rapport à un événement ou à une personne, c'est comme si l'autre personne possédait notre propre télécommande personnelle et jouait avec nos touches sensibles ! Ainsi, développer l'intelligence émotionnelles permet de mieux gérer les émotions, d'en réduire les conséquences désagréables et, surtout, de **reprendre notre pouvoir personnel.** Cela signifie se réapproprier la télécommande pour choisir nos réactions.

---

1. Ces références (nom des auteurs ou titre du livre suivi de l'année de publication) renvoient le lecteur à la bibliographie, à la fin de l'ouvrage.

# PREMIÈRE PARTIE

## L'intelligence émotionnelle

Il a pendant longtemps été question de l'importance du quotient intellectuel (QI), soit la mesure de l'intelligence logique et rationnelle, dans la réussite professionnelle. Rappelons-nous qu'à une certaine époque, on allait jusqu'à influencer le choix de carrière d'une personne selon son QI. On lui disait par exemple : « Tu as un QI élevé, tu seras un bon médecin, notaire ou gestionnaire. » Évidemment, c'était comme dire à ceux qui avaient un QI inférieur de se résigner. Certaines écoles, par leurs examens d'entrée, y accordaient un certain intérêt. Le quotient intellectuel, qui chiffre les capacités de résolution de problèmes, les connaissances logiques et rationnelles et l'intellect, était gage de succès professionnel. Au début du XXe siècle, on croyait que la mesure de l'excellence et de la performance dépendait des capacités de l'intellect de la personne.

Toutefois, on se mit à observer que des personnes qui n'avaient pas un QI plus élevé que la moyenne réussissaient remarquablement leur vie professionnelle.

Plus tard, des études ont démontré que, lorsqu'on met en parallèle le QI et les performances professionnelles, une corrélation existe dans seulement 25 % des cas. De plus, l'incidence effective du QI sur la réussite professionnelle n'est établie véritablement que dans 5 à 10 % des cas.

Cela signifie, comme le précise Daniel Goleman, que **le QI n'explique au mieux que 25 % des réussites professionnelles** et qu'il ne peut donc être considéré, à lui seul, comme un miroir fidèle de la réussite ou de l'échec des individus.

Voici un autre exemple qui appuie ces propos : il est fréquent de rencontrer des gestionnaires qui dirigent des personnes au QI égal ou plus élevé que le leur. Cela confirme que le QI n'est pas le seul critère de réussite, qu'il y en a forcément d'autres. Pour diriger efficacement son personnel, le gestionnaire doit posséder plusieurs qualités relatives à l'intelligence émotionnelle. Par exemple l'empathie, l'écoute, la transparence et le leadership.

# 1 Qu'est-ce que l'intelligence émotionnelle?

Avant d'aller plus loin, il a été question jusqu'ici de réussite professionnelle, car c'est dans cette optique qu'on s'est d'abord intéressé à l'intelligence émotionnelle. Toutefois, nous pouvons élargir cette notion à l'ensemble des situations, tant sur les plans individuel, personnel, professionnel que relationnel. Par exemple, une personne qui possède une aptitude particulière au bonheur sait forcément utiliser son intelligence émotionnelle. De plus, lorsqu'il est question dans ce livre du **plein potentiel**, cela fait nécessairement appel à notre capacité à utiliser, entre autres choses, notre intelligence émotionnelle.

Aussi apparaît-il que certains des hommes les plus riches du monde, spécialement ceux qui ont érigé des empires, n'ont pas un quotient intellectuel (QI) plus élevé que la moyenne. Plusieurs n'ont pas fait d'études supérieures. Leurs succès seraient donc dus à d'autres compétences que l'intelligence logique et rationnelle.

Ces exemples de personnes qui ont réussi professionnellement, sans nécessairement avoir les QI les plus élevés, nous amènent à croire qu'il y a autre chose en jeu. On a donc mené des recherches qui ont révélé des résultats intéressants. Ainsi, selon Daniel Goleman, l'intelligence émotionnelle serait beaucoup plus déterminante que le QI pour prédire les succès futurs des étudiants.

Ce n'est qu'à dater de 1975 que les chercheurs se sont penchés sur la question des compétences associées à la performance et à la réussite. Puis, en 1990, deux psychologues, Peter Salovey de Yale et John Mayer de l'université du New Hampshire, ont proposé une théorie globale de l'intelligence émotionnelle. Nous leur devons donc le concept d'**intelligence émotionnelle**.

Ces auteurs décrivent l'intelligence émotionnelle comme la capacité à réguler et à maîtriser ses propres sentiments et ceux des autres, puis à utiliser ces sentiments pour guider les pensées et les actes. Ce sont des habiletés permettant d'évaluer, d'exprimer et d'assurer un fonctionnement plus approprié des émotions.

Par la suite, de nombreux chercheurs, auteurs et psychologues ont continué à étudier la question de l'intelligence émotionnelle, sujet qui suscite de plus en plus d'intérêt.

Dans le même sens que Salovey et Mayer, Daniel Goleman, docteur en psychologie, a été l'un des premiers à faire connaître et à enseigner l'intelligence émotionnelle. Il la définit comme la capacité à reconnaître ses propres sentiments et ceux des autres, à se motiver soi-même, à persévérer, ainsi qu'à bien gérer ses émotions et ses relations avec les autres.

De son côté, le psychologue Hendrie Weisinger décrit, dans *L'intelligence émotionnelle au travail,* **quatre composantes de l'intelligence émotionnelle** :

1. L'aptitude à percevoir, à évaluer et à exprimer des émotions avec précision.
2. L'aptitude à faire naître des sentiments au besoin, lorsqu'ils peuvent nous aider à mieux nous comprendre ou à mieux comprendre autrui.
3. L'aptitude à comprendre les émotions et ce qui s'en dégage.
4. L'aptitude à gérer ses émotions pour favoriser le développement affectif et intellectuel.

Weisinger parle précisément de l'utilisation intelligente de nos émotions à notre avantage pour qu'elles guident notre comportement et nos réflexions vers nos objectifs.

## UNE DISTINCTION IMPORTANTE – QI - QÉ

Voici des points intéressants qui nous permettent de distinguer clairement les différences entre l'intelligence logique et rationnelle, mesurée par le QI, et l'intelligence émotionnelle, dont la valeur s'exprime par le QÉ.

## Le QI, quotient intellectuel

- L'intellect.
- Les connaissances logiques et rationnelles.
- Les capacités de résolution des problèmes (mathématiques, arithmétiques).
- Il explique au mieux 25 % de la réussite professionnelle.
- Des tests scientifiques, les « tests d'intelligence », permettent de le mesurer quantitativement.
- Il évolue peu à partir de l'adolescence.

## Le QÉ, quotient émotionnel

- L'harmonie entre le cœur et la tête par une utilisation intelligente des émotions.
- L'utilisation des informations qu'apportent les émotions. Par exemple, si je suis stressée à cause d'une conférence, c'est peut-être parce que je manque de préparation, ou si je ressens de la colère, c'est sans doute parce que l'une de mes normes personnelles a été violée ou qu'un de mes besoins n'a pas été respecté.
- La connaissance de soi, la gestion de soi, la capacité à rebondir, l'initiative, l'optimisme, la gestion des relations et l'adaptabilité sont des exemples de compétences mesurées par le quotient émotionnel.
- Le QÉ ne se mesure pas par un test scientifique. Il existe toutefois des questionnaires qui servent à donner une mesure approximative de l'intelligence émotionnelle, mais celle-ci est difficile à mesurer, puisqu'elle peut évoluer selon les prises de conscience et les expériences de l'individu.
- Contrairement au QI, le QÉ peut varier dans le temps, puisque l'intelligence émotionnelle est en partie apprise. Cela signifie que nous pouvons développer notre intelligence émotionnelle au fil des années. Le QÉ peut donc augmenter selon les leçons tirées des expériences de vie et par la maturité, la sagesse, et même la lecture, la formation académique, les ateliers de croissance personnelle, etc.

Précisons que certains auteurs parlent de plusieurs types d'intelligence. C'est ce que Howard Gardner appelle les « intelligences multiples ». Il en décrit huit[2].

### 1. L'intelligence linguistique

L'intelligence linguistique (ou verbale) consiste à utiliser le langage pour comprendre les autres et pour exprimer ce que l'on pense. Tous les individus qui utilisent le langage écrit ou oral font appel à leur intelligence linguistique : orateurs, avocats, poètes, écrivains, mais aussi les personnes qui ont à lire et à parler, dans leur domaine respectif, pour résoudre des problèmes, créer et comprendre. Victor Hugo maîtrisait à merveille ce type d'intelligence.

### 2. L'intelligence logico-mathématique

Les capacités intellectuelles qui y sont rattachées sont la logique, l'analyse, l'observation et la résolution de problèmes. Cette forme d'intelligence permet l'analyse des causes et conséquences d'un phénomène, l'émission d'hypothèses complexes, la compréhension des principes d'un phénomène, la manipulation des nombres, l'exécution des opérations mathématiques et l'interprétation des quantités. Elle est utile dans les sciences, les mathématiques, l'informatique et la recherche, par exemple. Elle exige une dimension non verbale et abstraite dans le fonctionnement du cerveau, car des solutions peuvent être anticipées avant d'être démontrées. Albert Einstein est un exemple de cette forme d'intelligence.

### 3. L'intelligence musicale

L'intelligence musicale permet de penser en rythmes et en mélodies, de reconnaître des modèles musicaux, de les mémoriser, de les interpréter, d'en créer, d'être sensible à la musicalité des mots et des phrases. Dès la petite enfance, il existe une capacité « brute » quant à l'aspect musical. Les virtuoses de l'intelligence musicale nous font vibrer par des nuances, des changements de rythme et d'autres variantes transmises par leur instrument de musique ou leur voix. Mozart est bon exemple de cette forme d'intelligence.

---

2. Les définitions qui suivent sont adaptées d'un document réalisé en 2003 par Pierrette Boudreau, conseillère pédagogique à la C.S. de la Rivière-du-Nord, et par Ginette Grenier, conseillère pédagogique à la C.S. des Affluents.

### 4. L'intelligence visuelle spatiale

Cette intelligence permet à l'individu d'utiliser des capacités intellectuelles spécifiques pour élaborer par l'esprit une représentation spatiale du monde. Les Amérindiens se déplacent en forêt à l'aide de leur représentation mentale du terrain. Ils visualisent des points de repère, cours d'eau, lacs, végétation, montagnes, qui leur permettent de progresser. Des autochtones peuvent ainsi naviguer sans instruments entre certaines îles du Pacifique. L'intelligence visuelle permet de créer des œuvres d'art, d'agencer harmonieusement des vêtements, des meubles, des objets, de penser en images. Les géographes, peintres, dessinateurs de mode, architectes, photographes, cadreurs mettent à profit ce potentiel intellectuel. L'architecte Le Corbusier est un bon exemple de ce type d'intelligence.

### 5. L'intelligence kinesthésique

L'intelligence kinesthésique est l'aptitude à utiliser son corps ou une partie de son corps pour communiquer ou pour s'exprimer dans la vie quotidienne ou dans un contexte artistique; pour accomplir des tâches requérant la motricité fine; pour apprendre en manipulant des objets; pour faire des exercices physiques ou pratiquer des sports. Mario Lemieux illustre bien ce qu'est l'intelligence kinesthésique. On disait de lui qu'il faisait des feintes et des passes intelligentes. Il existe donc un potentiel intellectuel qui permet par exemple au joueur de basket-ball de calculer la hauteur, la force et l'effet du lancer au panier. Le cerveau anticipe le point d'arrivée du ballon et met en branle une série de mouvements pour résoudre le problème. L'expression des émotions par le corps, les performances physiques et l'utilisation adroite des outils montrent la présence d'un potentiel intellectuel à ce niveau.

### 6. L'intelligence naturaliste

C'est l'intelligence de l'Amérindien, du biologiste, du botaniste, de l'écologiste, de l'océanographe, du zoologiste, de l'explorateur, du chasseur, du pêcheur ou du chef cuisinier. L'individu est capable de classifier, de discriminer, de reconnaître et d'appliquer ses connaissances à l'environnement naturel, aux animaux, aux végétaux ou aux minéraux. Il peut reconnaître des traces d'animaux, des modèles de vie dans la nature, et il peut trouver des moyens de survie. Il sait quels animaux ou plantes sont à éviter, de quelles espèces il peut se nourrir.

Il a un souci de conservation de la nature, note souvent ses observations dans des cahiers, prend soin d'animaux, cultive un jardin, et est en faveur de la conservation de l'environnement et de l'établissement de parcs dans sa ville. Les peuples indigènes utilisent cette forme d'intelligence de façon remarquable.

### 7. L'intelligence intrapersonnelle

L'intelligence intrapersonnelle consiste à faire de l'introspection, c'est-à-dire à regarder à l'intérieur de soi, à identifier ses sentiments, à analyser ses pensées, ses comportements et ses émotions. Cette forme d'intelligence permet de se comprendre soi-même, de voir ce qu'on est capable de faire, de constater ses limites et ses forces, d'identifier ses désirs, ses rêves, et de comprendre ses réactions. C'est aussi la capacité d'aller chercher de l'aide en cas de besoin. En somme, c'est être capable de se faire une bonne représentation de soi.

### 8. L'intelligence interpersonnelle

Par l'intelligence interpersonnelle (ou sociale), on est en mesure d'agir et de réagir avec les autres de manière adéquate. Elle nous amène à prendre en compte les différences de tempérament, de caractère et de motivation entre les individus. Elle rend possible l'empathie, la coopération, la tolérance. Elle permet de découvrir les intentions cachées d'autrui, de résoudre des problèmes liés aux relations avec les autres, de comprendre et d'imaginer des solutions valables pour aider les autres. Elle est caractéristique des leaders et des organisateurs.

Dans le présent chapitre, ce sont principalement les deux derniers types d'intelligence, intrapersonnelle et interpersonnelle, qui nous intéressent. Nous verrons plus loin que ce sont les deux sphères de compétences associées à l'intelligence émotionnelle.

## DÉFINIR L'ÉMOTION

Avant d'aller plus loin dans l'explication et la compréhension de l'intelligence émotionnelle, nous comprenons, par son nom, qu'elle est liée d'une certaine façon aux **émotions**. Lorsque l'on parle d'émotions, de quoi parle-t-on exactement ? Le problème, c'est que ce mot peut avoir une multitude de sens. On constate même que les différents auteurs ne s'entendent pas sur une définition commune.

Par exemple, le *Petit Larousse de la psychologie* parle de réaction globale, intense et brève de l'organisme à une situation inattendue, accompagnée d'un état affectif de tonalité pénible ou agréable.

Le psychologue Daniel Chabot, quant à lui, explique que l'émotion est ce qui nous fait bouger, ce qui déclenche en nous des comportements, des états affectifs (situations) agréables et désagréables. Elle a un commencement et elle est liée à une situation précise.

Nous pourrions citer d'autres auteurs pour expliquer les diverses nuances et certains points constants, mais nous allons retenir les cinq caractéristiques suivantes pour définir et mieux comprendre ce qu'est une émotion :

1. un **mouvement** (je ne ressens rien et soudainement je vis une émotion) ;
2. des **sensations physiques** dans tout le corps ;
3. une **agitation de l'esprit** qui nous fait penser différemment ;
4. une **réaction** à un événement ou à une personne (facteur déclencheur) ;
5. quelque chose qui nous prépare et nous pousse à l'**action**.

Enfin, Hendrie Weisinger s'en tient à trois composantes des émotions : les pensées, les changements physiologiques et les comportements.

Nous avons maintenant une idée plus précise de ce que nous entendons par le mot « émotion » !

## COMPRENDRE ET DÉVELOPPER SON INTELLIGENCE ÉMOTIONNELLE

L'intelligence émotionnelle peut se définir simplement par une utilisation intelligente de ses émotions. Pour ce faire, plusieurs autres compétences sont nécessaires et donc comprises dans la définition. L'intelligence émotionnelle est comme une grande boîte contenant plusieurs autres concepts dont on pourrait faire un livre complet. C'est en précisant les diverses composantes de l'intelligence émotionnelle que nous arriverons à mieux comprendre ce qu'elle représente exactement et en quoi elle est si vaste. On parle beaucoup des « qualités du cœur », d'une « autre manière d'être intelligent », d'une « utilisation intelligente des émotions ». Mais qu'est-ce que cela signifie ?

Daniel Goleman dresse un portrait des différentes compétences associées à l'intelligence émotionnelle. Il parle de deux sphères : les compétences personnelles et les compétences sociales.

Les compétences personnelles correspondent à ce que nous avons appelé des intelligences multiples, l'intelligence intrapersonnelle, c'est-à-dire la façon dont une personne se connaît et se gère elle-même.

## Sphère 1 : Les compétences personnelles – l'intelligence intrapersonnelle

### LA CONSCIENCE DE SOI

Cette première aptitude, la conscience de soi, est la clé de l'intelligence émotionnelle, en ce sens que le point de départ est soi-même. Par exemple, si une personne désire gérer ses excès de colère, elle doit d'abord prendre conscience qu'elle est en colère. Et ce sont les indices fournis par la conscience de soi qui le lui permettront.

La conscience de soi consiste d'abord à reconnaître la présence des émotions à l'intérieur de soi, au niveau physiologique (sensations physiques), et leurs effets (impacts et conséquences). Elle nous permet de nommer la bonne émotion, de ne pas dire que nous sommes triste quand nous sommes plutôt en colère.

Nous devons comprendre aussi qu'il existe des mots différents pour parler d'une même famille d'émotions. Par exemple, l'impatience, l'irritation, la rage et l'hostilité font tous partie de la famille de la colère. (On peut consulter en annexe le *Glossaire des idées aux émotions*, à la page 319, pour en savoir davantage sur les émotions de même famille.) Ainsi, une personne peut croire ne jamais ressentir de colère, mais cela n'empêche pas qu'elle puisse ressentir de l'impatience. La conscience de soi, c'est aussi utiliser son instinct (intuition ou petite voix intérieure, selon les gens) pour orienter ses décisions. Pour utiliser notre instinct, nous devons nous connaître assez bien, avoir des repères personnels et être en mesure de ressentir de l'intérieur, d'écouter les informations fournies par notre ressenti, savoir si telle décision est bonne pour nous ou non. Puisqu'une décision n'est en soi ni bonne ni mauvaise, cela dépend seulement de la signification que nous lui donnons. Pour ma part, je ressens mon intuition au niveau du plexus et j'arrive à distinguer ce qui est bon pour moi de ce qui ne l'est pas. Il ne me reste qu'à décider d'écouter ou non mon intuition ! Pour nous aider à découvrir comment notre intuition communique avec nous, nous pouvons simplement nous rappeler comment nous nous sentions avant une bonne décision et avant une mauvaise décision. En comparant ces deux sensations (intensité, localisation, etc.), nous obtenons de précieux renseignements.

## La juste évaluation de soi

Il s'agit de connaître nos forces et nos limites, d'être capable de tirer des leçons de nos expériences, de s'ouvrir aux nouvelles perspectives, d'apprendre et de nous enrichir sans cesse. Faire preuve d'humour et de recul par rapport à soi-même est aussi une habileté associée aux compétences personnelles. C'est-à-dire ne pas trop se prendre au sérieux, être capable de faire des blagues sur soi et de rire des plaisanteries que les autres font sur nous !

---

### Histoire de Stéphanie

Je devais avoir dix ans lorsque ma mère m'a dit : « Stéphanie, tu es née sous une bonne étoile. » À cette époque, c'est vrai, la chance me souriait. J'ai compris plus tard que ce n'était pas qu'une question de chance, mais que mes comportements et mes attitudes m'aidaient dans la vie.

Quoi qu'il en soit, cette phrase bien incrustée dans ma tête, j'entrais dans la vie avec la certitude que j'étais chanceuse et que, quoi qu'il m'arrive, je trouverais des solutions et que tout s'arrangerait, car j'étais née sous une bonne étoile ! Cette croyance m'a aussi beaucoup aidée à développer ma confiance. J'ai commencé tôt à croire en moi et à réaliser que je pouvais, si je le décidais, faire de grandes choses. De grandes choses étant relatives, bien entendu ! Ma définition des « grandes choses » n'est peut-être pas la même que la vôtre. Cette phrase m'a aidée à développer non seulement ma confiance en moi, mais aussi ma volonté de réussir, ma détermination et mon attitude positive.

Pourquoi certaines phrases prononcées par un proche ont tant d'influence sur notre vie, ou à l'inverse, un effet si dévastateur? Par exemple: « Tu ne fais jamais rien de bien! », » Tu ne seras jamais capable! », « Tu es né pour un petit pain! », « Tu es comme ton père, un vrai lâche! »

Peut-être n'avez-vous pas grandi dans un environnement où l'on vous a aidé à développer certaines qualités nécessaires au développement de votre plein potentiel, mais force est d'admettre que, indépendamment de la vie que vous avez eue et des expériences que vous avez vécues, vous possédez indéniablement des forces. Lorsqu'on parle d'intelligence émotionnelle, on fait référence, entre autres, à la capacité de s'évaluer soi-même, c'est-à-dire de se connaître suffisamment pour être en mesure d'identifier ses forces et ses points à améliorer. Je n'aime pas utiliser le mot « faiblesses », alors je le remplace par « points à améliorer ». C'est à mon avis plus constructif. Je vous invite maintenant à passer à l'action par le biais d'un exercice simple.

### S'entraîner à la juste évaluation de soi

Identifiez vos forces et qualités (pour vous aider, pensez aux raisons pour lesquelles les gens vous apprécient):

_____

_____

_____

_____

_____

_____

_____

_____

_____

_____

_____

_____

_____

_____

_____

Identifiez quelques points que vous devez améliorer :

_____
_____
_____
_____
_____
_____
_____
_____
_____
_____
_____

### La confiance en soi

La confiance en soi est cette capacité qui permet de faire preuve d'assurance et de présence dans les rapports humains, de défendre ses points de vue, de prendre des risques et des décisions saines malgré les incertitudes et les pressions.

Elle représente *un fort sentiment de sa dignité et de ses capacités personnelles, avoir du talent et le croire !*

Il est fort recommandé de tenir un **journal personnel** afin d'accroître la conscience de soi-même. Cet exercice vise à nous faire prendre conscience de nos émotions en général. Il nous permet de découvrir les informations cachées derrière les émotions et ainsi de nous rendre compte du rôle qu'elles jouent dans notre vie. Par exemple, lorsqu'une situation me donne l'occasion de ressentir de la colère, c'est peut-être parce que je trouve qu'une autre personne m'a manqué de respect, et je trouverai important de le dire, ou, si je ressens du stress avant un exposé que je dois faire, il est possible que ce stress m'informe que je dois probablement me préparer mieux. En plus d'en apprendre davantage sur nos émotions, nous pouvons noter dans notre journal nos gestes, comportements et intentions, de même que ceux des personnes de notre entourage. Cette petite pause représente une période de réflexion qui peut s'avérer très bénéfique : elle permet d'être spectateur de soi-même et de s'observer. Ainsi, nous obtenons des réponses et des pistes de solutions intéressantes. Lorsque nous sommes dans l'action, c'est comme si nous étions l'acteur du film de notre vie ; mais l'exercice du journal personnel nous permet d'aller nous asseoir dans la salle de cinéma pour nous observer. Cette vision détachée introduit une distance émotionnelle à l'égard des événements que nous vivons, ce qui nous aide à être plus objectif.

J'ai proposé l'exercice du journal à l'une de mes clientes en psychothérapie. Elle vivait des difficultés relationnelles avec son conjoint depuis un bon moment. Ils se disputaient souvent, ce qui ne leur permettait pas de communiquer efficacement. Elle était très insatisfaite de cette situation, pourtant elle ne savait pas comment s'y prendre pour diminuer les disputes. Je lui ai donc suggéré de noter ses sentiments dans son journal immédiatement après chaque accrochage. Comment se sentait-elle ? Quelles émotions la troublaient ? Puis je l'ai invitée à revoir le film de la dispute dans sa tête, en se visualisant pour se voir agir et être en mesure de décrire ses comportements, gestes, paroles et intentions. C'est seulement par la suite, lorsqu'elle aura réussi à obtenir une bonne compréhension d'elle-même, qu'elle pourra s'intéresser à son conjoint. Ce qui est fort impressionnant, c'est qu'en se donnant la peine de réaliser cet exercice tout simple, cette femme a obtenu des réponses qui lui étaient inconnues auparavant. Elle a réalisé qu'aussitôt qu'une confrontation débutait avec son conjoint, elle changeait de pièce et regardait dehors, par la fenêtre. Elle s'est aperçue que ce comportement avait un impact négatif chez son conjoint, qui s'emportait davantage. Elle voulait simplement aller respirer, se calmer et reprendre ses esprits, mais ce comportement de retrait aggravait le conflit. L'exercice du journal lui a donc permis d'élargir sa conscience de soi et de se rendre compte de choses dont elle n'était même pas consciente. Ainsi, elle a pu parler de ses intentions à son conjoint, qui comprend maintenant mieux pourquoi elle se retire. Cela ne l'insulte plus. En outre, puisqu'elle est consciente de ce comportement, elle a réalisé que, lorsqu'elle se retirait, elle se calmait, mais sans pour autant donner son point de vue, ce qui n'était pas constructif, ni pour elle ni pour le couple, et elle s'efforce donc maintenant de se calmer à l'aide d'autres moyens, par exemple en prenant trois grandes respirations profondes. Ainsi, elle reste dans la pièce avec son conjoint, tout en s'efforçant de lui expliquer son point de vue personnel. Je crois donc énormément aux bénéfices du journal personnel. L'essayer, c'est l'adopter ! Du moins, c'est ce que je vous souhaite !

Une fois la conscience de soi développée, il est plus réaliste d'envisager que la gestion de soi serait possible. En effet, pour gérer quelque chose, il importe d'abord d'en être conscient !

## La maîtrise de ses émotions
La maîtrise des émotions nous permet, entre autres choses, de garder le contrôle lors d'impulsions perturbatrices et déstabilisantes, de rester calme et positif. De plus, il importe de préciser que le fait de maîtriser nos émotions ne signifie pas qu'on les refoule, qu'on les tait ou qu'on les exprime mal. Au contraire, la gestion de soi permet de rester maître à bord de soi-même, de réaliser que quelque chose ne va pas et de l'exprimer **adéquatement**, ce qui n'est pas possible lorsque nous nous laissons submerger par l'émotion. Dans certains cas, nous choisirons volontairement de ne rien dire, puisque nous aurons jugé qu'il en sera mieux ainsi, ce qui est tout aussi correct.

## La transparence
La transparence est la capacité à faire preuve d'honnêteté, d'intégrité et de loyauté. Une personne transparente dit donc ce qu'elle pense. L'hypocrisie est le contraire de la transparence.

## L'adaptabilité
L'adaptabilité se traduit par une flexibilité dans la manière de réagir aux différents changements. L'expression populaire « Être capable de se retourner sur un dix cents » illustre bien ce que cela veut dire. Les gens qui y arrivent s'adaptent facilement et résistent peu aux nouvelles façons de faire. L'adaptabilité se manifeste également dans la capacité à surmonter les obstacles. Elle permet aussi de réfléchir aux solutions et aux occasions, plutôt que de se décourager.

## La réalisation de soi
La réalisation de soi est le désir de progresser pour atteindre des normes personnelles d'excellence. Elle se traduit dans les ambitions personnelles de chacun et peut donc prendre plusieurs formes. L'un sentira qu'il se réalise en faisant de l'aménagement paysager ; un autre en enseignant une matière, un sport ou une discipline. C'est un véritable moteur d'action qui donne l'énergie d'avancer.

### L'initiative

L'initiative, c'est être disposé à agir et à saisir les différentes opportunités. Par exemple, une personne plus ou moins satisfaite de son emploi ira porter son C.V. dans une entreprise qui embauche.

### L'optimisme

L'optimisme représente la capacité à voir le côté positif des choses. C'est voir le verre à moitié plein et non à moitié vide. Évidemment, certaines situations ne semblent pas positives à première vue, par exemple la perte d'un emploi ou d'un être cher. Toutefois, il faut savoir que les personnes optimistes, face à de telles situations, se posent des questions qui les aident, plutôt que de se demander pourquoi cela leur arrive, ce qui leur nuirait et les ferait se sentir encore plus mal. Elles se demandent : « Qu'est-ce que je peux faire ? Si j'avais à nommer ne serait-ce qu'une bonne chose rattachée à cette situation, que serait-elle ? Qu'est-ce que je peux apprendre ? »

Nous allons nous intéresser maintenant aux compétences sociales. Celles-ci correspondent à l'intelligence interpersonnelle, c'est-à-dire à la façon dont une personne est consciente des autres et de l'environnement, et à la façon dont elle gère ses relations.

## Sphère 2 : Les compétences sociales – l'intelligence interpersonnelle

### LA CONSCIENCE DES AUTRES

### L'empathie

L'empathie est la capacité de percevoir et de sentir les émotions des autres, de comprendre leurs points de vue et de s'intéresser à leurs préoccupations. Évidemment, si je ressens des émotions, les autres en ressentent aussi ; l'intelligence émotionnelle, plus précisément la conscience des autres et l'empathie, permet de les reconnaître. Il faut être capable d'emprunter les lunettes ou les chaussures de l'autre pour se mettre à sa place et ainsi comprendre comment cela se passe pour lui. Les personnes en relation d'aide, les parents et les conjoints ont avantage à miser sur cette aptitude. Il y a une distinction à faire entre empathie et sympathie : manifester de la sympathie, c'est ressentir et partager l'émotion avec l'autre, alors que l'empathie, c'est comprendre ce que l'autre vit, en le ressentant un peu, mais avec moins d'intensité, ce qui nous permet de rester aidant pour l'autre. Quand je reçois des personnes à mon bureau pour de la psychothérapie, je ne suis pas aidante si je me mets à pleurer avec eux !

### La conscience sociale

La conscience sociale, c'est se tenir à jour dans l'actualité, lire les courants et les tendances, s'impliquer dans son entreprise, sa communauté. Les actions bénévoles traduisent la conscience sociale des gens, de même que les mouvements Équiterre et Greenpeace, pour ne nommer que ceux-là.

### Le travail d'équipe

Le travail d'équipe regorge de notions et de concepts importants, dont le respect, la confiance, la responsabilisation, l'engagement, les objectifs, la coopération, les forces complémentaires. Il repose en partie sur la capacité à reconnaître et à répondre aux besoins de l'équipe et des clients.

#### LA GESTION DES RELATIONS

### Le leadership inspirant

Le leadership inspirant représente la capacité de guider et de motiver les autres, tout en possédant une vision enthousiaste. Le leadership inspirant est l'une des façons les plus efficaces de donner aux autres le goût de changer; il s'agit de prêcher par l'exemple. Contrairement à ce que certains croient, un leader inspirant ne parle pas nécessairement plus fort et davantage que les autres. Au contraire, cette personne a la capacité de s'assurer que tout le monde se sent à sa place et elle sait écouter les différentes opinions avec respect.

### L'influence

Avoir de l'influence, c'est être capable de persuader les autres d'une manière respectueuse. Une personne influente a l'art de présenter une situation ou un projet de manière que les autres aient le goût de la suivre, et ce, sans qu'elle leur demande avec insistance.

## Le développement des autres

Le développement des autres est très important dans la gestion des relations. Il correspond au soutien des autres. Ce soutien est rendu possible par la reconnaissance des capacités, des forces, et par la rétroaction et l'accompagnement. Par exemple, lorsqu'une personne répond à la question d'une autre, qu'elle lui démontre une procédure, elle contribue à son développement. Il importe de comprendre que même une réprimande a le pouvoir de nous aider à nous développer. Elle nous informe que nous ne sommes pas sur la bonne voie et nous indique celle que nous devons prendre ! De plus, la délégation est aussi une façon de contribuer au développement des autres. Confier de nouvelles tâches et responsabilités à quelqu'un lui permet d'éveiller son plein potentiel et de découvrir des forces insoupçonnées !

## Le catalyseur de changement

Le catalyseur de changement, c'est la capacité d'initier, de gérer et de piloter de nouvelles directions. Il s'agit d'une attitude active, plutôt que passive. Au lieu de rester insatisfait dans une situation, le catalyseur de changement prendra des moyens concrets pour changer les choses ! Rappelons-nous que, par définition, un catalyseur est un élément qui accélère une réaction par sa seule présence ou par son intervention.

## La communication

La communication est en soi un domaine très vaste. Elle est une composante très importante de l'intelligence émotionnelle. Il est fréquent de réaliser que la communication devrait nous aider à nous comprendre, mais dans bien des cas elle est source de confusion. D'où l'importance d'aller valider en demandant : « Qu'est-ce que tu veux dire par là ? Qu'est-ce que ça signifie pour toi ? » En effet, l'interprétation d'une situation peut varier grandement d'une personne à l'autre, de même que la signification que nous donnons aux mots. Cela me rappelle l'exemple d'un jeune garçon qui dit à sa grand-mère : « Ta soupe est écœurante ! » Et la grand-mère de répondre : « Tu ne l'aimes pas ? » En fait, le garçon, en utilisant l'adjectif « écœurante », voulait dire que la soupe était délicieuse.

Pour ce qui est de la communication, la **stratégie d'affirmation positive** est un outil qui nous permet d'utiliser le « je » et de nous exprimer de manière affirmative, donc plus efficacement. Cette stratégie comporte quatre étapes.

**Étape 1 : Nommez ce qui s'est passé.**
Quand : _____

_____

**Étape 2 : Nommez l'émotion ressentie.**
Je me sens : _____

_____

**Étape 3 : Nommez vos besoins.**
Parce que j'ai besoin de : _____

_____

**Étape 4 : Proposition afin de satisfaire vos besoins.**
Je propose : _____

_____

Que proposes-tu ? _____

_____

Sachons que nous devons nous pratiquer afin d'adopter la stratégie d'affirmation positive avec aisance. Comme pour toute acquisition de nouvelles aptitudes, nous pouvons être mal à l'aise au début. Nous devons nous défaire de l'habitude d'utiliser le « tu », souvent perçu comme une attaque personnelle. Car le « tu » touche l'identité de la personne, soit ce qu'elle a de plus précieux. Utiliser le « je » et la **stratégie d'affirmation positive**, c'est comme emballer son message avec de beaux rubans. Il y a plus de chances qu'il soit accepté par l'autre.

### *Exemple d'utilisation du « tu »*
*Tu es toujours en retard pour le souper, tu n'es pas fiable. Tu ne penses pas à me téléphoner pour me le dire ?*

### *Exemple d'utilisation du « je », stratégie d'affirmation positive*
**Étape 1 : Nommez ce qui s'est passé.**
*Quand : je me rends compte que tu n'es pas rentré à l'heure prévue et que je ne sais pas si tu viens souper…*

**Étape 2 : Nommez l'émotion ressentie.**
Je me sens : *à la fois inquiète et irritée...*

**Étape 3 : Nommez vos besoins.**
Parce que j'ai besoin : *de savoir qu'il ne t'est rien arrivé de grave au travail ou sur la route. J'ai aussi besoin de savoir si je prépare le souper pour deux ou pour moi seulement. Est-ce que je t'attends ou pas ?*

**Étape 4 : Proposition afin de satisfaire votre besoin.**
Vous pouvez proposer une solution et vérifier si l'autre personne est d'accord, ou vous pouvez lui demander ce qu'elle a à proposer. Ainsi, vous saurez ce qu'elle en pense.

Je te propose : une entente selon laquelle tu dois me téléphoner pour m'aviser de *tes retards, afin de respecter mon besoin d'être rassurée et de m'aider à mieux m'organiser.*

Voilà comment l'aptitude à bien communiquer permet d'entretenir et de maintenir des dialogues, dans une atmosphère rassurante.

## LA GESTION DES CONFLITS

La gestion des conflits, c'est la capacité de dénouer des situations conflictuelles en adoptant des stratégies de résolution adéquates.

Selon Solange Cormier, il existe deux types de conflits. D'abord les conflits cognitifs qui se situent au niveau de l'objet du conflit lui-même. Ce type de conflit peut être réglé à l'aide d'une approche gagnant-gagnant, en précisant les besoins de chacun et les diverses façons de les satisfaire. Nous retenons ensuite la meilleure stratégie, celle qui permet de satisfaire les deux parties. Il y a donc un désir de collaboration de part et d'autre.

Quant aux conflits relationnels, ils se situent au niveau du pouvoir et de l'émotion. C'est comme un jeu ou une danse que les deux parties exécutent ensemble. Pour dénouer ce type de conflit, il faut d'abord en avoir le désir, premier pas nécessaire et souvent difficile en raison des émotions présentes. Il est intéressant, dans ce type de conflit, de savoir qui fait quoi et comment cela dérange l'autre. Ensuite, il faut comprendre comment chacun réagit à ce qui le dérange. Nous constatons souvent que les attitudes, comportements et réactions de l'un entretiennent les attitudes, comportements et réactions de l'autre. Ainsi, par cette analyse de la dynamique conflictuelle, il sera possible d'appliquer des mesures qui visent à remplacer les attitudes, comportements et réactions qui entretenaient le conflit par de nouvelles façons de faire qui modifieront la dynamique.

Par exemple, plus Josée reproche à son mari de ne pas être assez présent, moins il a le goût d'être à ses côtés. Et moins il a le goût d'être à ses côtés, plus Josée lui fait des reproches, ce qui entretient la dynamique circulaire de leur conflit.

Enfin, en décomposant les diverses aptitudes reliées à la manifestation de l'intelligence émotionnelle, il est plus facile de comprendre en quoi elle consiste dans son ensemble. Nous comprenons que c'est un concept très large qui englobe plusieurs notions, à la fois différentes mais très liées.

Le tableau suivant résume les différentes notions utilisées par Daniel Goleman pour définir l'intelligence émotionnelle.

# Tableau des notions liées
# à l'intelligence émotionnelle

| L'intelligence émotionnelle | | | |
|---|---|---|---|
| Sphère 1<br>**Compétences personnelles**<br>Intelligence intrapersonnelle, c'est-à-dire la façon dont on se gère soi-même. | | Sphère 2<br>**Compétences sociales**<br>Intelligence interpersonnelle, c'est-à-dire la façon dont on gère nos relations. | |
| **Conscience de soi** | **Gestion de soi** | **Conscience des autres** | **Gestion des relations** |
| Reconnaître et nommer ses émotions.<br><br>Avoir conscience de l'effet de ses émotions sur soi et sur les autres.<br><br>Faire une juste évaluation de soi, de ses forces et limites.<br><br>Être ouvert.<br><br>Avoir de l'humour et du recul par rapport à soi.<br><br>Tirer des leçons de nos expériences.<br><br>Avoir confiance en soi, avoir de l'assurance.<br><br>Défendre ses points de vue et prendre des décisions. | Maîtriser ses émotions.<br><br>Contrôler ses impulsions.<br><br>Être transparent (honnêteté et intégrité).<br><br>S'adapter, être flexible (adaptation au changement).<br><br>Se réaliser.<br><br>Avoir la volonté de réussir, d'atteindre ses objectifs et de se dépasser.<br><br>Prendre des initiatives.<br><br>Être optimiste. | Avoir de l'empathie (comprendre ce que l'autre vit et ressent).<br><br>Reconnaître et respecter les besoins différents de chacun.<br><br>Travailler en équipe. | Avoir du leadership (guider, motiver, inspirer et influencer positivement).<br><br>Persuader.<br><br>Contribuer au développement des autres (soutien, encouragement).<br><br>Initier des changements.<br><br>Communiquer.<br><br>Résoudre des conflits. |

# 2 La conscience de soi

## SIX ASPECTS DE LA CONSCIENCE DE SOI

### Les signes physiques

Les signes physiques sont les manifestations physiologiques intérieures et extérieures de la présence d'émotions dans le corps. Les signes physiques varient d'une émotion à l'autre, d'une personne à l'autre. Par exemple, une personne peut ressentir la manifestation physique de la colère comme une sensation de chaleur au visage, alors que pour une autre il peut s'agir d'une raideur dans la nuque. Le stress peut aussi bien causer une pression dans le dos qu'une boule dans la gorge ou des maux de ventre. Il est très important de connaître ces différents signes physiques, car ils nous avertissent de la présence d'une émotion et de son intensité. En effet, plus les signes physiques sont importants, plus l'émotion est intense. Les signes physiques associés à nos émotions sont des informations très importantes que nous avons avantage à utiliser. Cela signifie également que nous devons passer à la gestion de soi!

### Les perceptions

Les perceptions sont les différentes impressions, interprétations et attentes que nous avons de nous-même, des autres et de ce que nous vivons. Elles se traduisent dans nos idées, pensées ou dialogues intérieurs. Nos perceptions sont influencées par notre culture, notre famille, nos croyances, valeurs, souvenirs, expériences, aptitudes, etc.

Par exemple, si mes parents m'ont enseigné le respect, je percevrai probablement comme inacceptables toutes les actions qui ne correspondent pas à ce à quoi je m'attends. Lorsqu'on prend conscience de nos perceptions, on comprend mieux comment nos pensées influencent nos sentiments et nos actions. Par exemple, si je me perçois comme une personne à l'aise et habile à parler en public, je me sentirai davantage confiante et ma performance sera meilleure. Par contre, si je me perçois comme une personne timide et incapable de s'exprimer adéquatement devant les gens, je risque de me sentir mal à l'aise et cela pourrait affecter défavorablement mon comportement !

## Le système sensoriel

Le système sensoriel correspond aux cinq sens : vue, ouïe, odorat, goût et toucher. Ceux-ci sont à la source de toutes les informations que nous obtenons au sujet du monde environnant, mais aussi sur nous-même, sur autrui et sur différentes situations. Ces informations sont ensuite traitées et analysées par le cerveau. Par exemple, si je me rends chez mon libraire et que je vois, de ma voiture, un écriteau dans la fenêtre qui dit FERMÉ, ma compréhension de cette information fera que je ne me présenterai pas à la porte. Si je suis au travail et que j'entends l'alarme d'incendie et que j'aperçois de la fumée, je vais m'empresser de sortir. Ce sont donc nos sens qui nous relient au monde extérieur, nous fournissent de l'information, et nous incitent à ajuster nos actions et comportements. Toutefois, il faut de la vigilance, car nos sens peuvent nous tromper ! En effet, le système sensoriel peut commettre des erreurs ou même sélectionner les informations qu'il traite. C'est pourquoi, par exemple, une personne qui n'aime pas les critiques peut filtrer l'information pour ne retenir que ce qui lui convient.

## Les sentiments

Nos sentiments sont des réponses affectives résultant de nos perceptions et attentes. Ils nous fournissent une aide importante pour comprendre pourquoi nous agissons de telle ou telle façon. Les sentiments sont intérieurs, mais nous pouvons reconnaître leur présence par les signes physiques de leurs manifestations. Par exemple, un automobiliste me coupe en voiture, ce qui me donne l'occasion de ressentir de la colère, ou bien mon enfant n'est pas rentré coucher et je suis inquiet. Il importe de reconnaître que nos sentiments affectent nos actions. Si je m'en fais pour mon enfant qui n'est pas rentré, je ne dormirai probablement pas. Peut-être vais-je essayer de contacter les autres parents. De plus, reconnaître nos sentiments peut empêcher certaines situations de dégénérer. En effet, si je suis en colère parce que je crois que mon enfant aurait dû me téléphoner pour m'aviser de son retard, il se peut que je n'aborde pas la situation adéquatement si je ne me laisse pas le temps de diminuer l'intensité de ma colère. Il est parfois difficile de reconnaître un sentiment, car il peut être pénible d'y faire face.

## Les intentions

Dans ce cas, il s'agit de nos intentions à court terme ; nos désirs actuels. Ce que nous voulons accomplir maintenant, dans une situation particulière. Il est possible que nous ayons des intentions opposées, par exemple vouloir terminer un dossier important et passer du temps en famille. Lorsqu'une intention n'est pas satisfaite, il y a insatisfaction, d'où l'importance de prendre conscience de ses différentes intentions et de trouver des compromis acceptables. Si j'ai l'intention de me démarquer auprès d'un client, je vais y mettre les efforts. Les intentions influencent également nos actions.

## Les actions

Les actions se manifestent physiquement ; il est possible de les voir. Les autres peuvent observer nos actions et nous pouvons également observer nos propres actions, en prenant du recul. Elles sont une occasion d'analyse et d'interprétation, tant par rapport à soi qu'aux autres. Si je constate que je baisse les yeux quand telle personne s'adresse à moi, qu'est-ce que cela signifie ? Est-ce que je baisse les yeux par inconfort, timidité, infériorité ou respect ? Selon ma réponse, je pourrai développer une stratégie de développement personnel appropriée. La prise en compte des actions augmente très certainement notre conscience de nous-même, tout comme elle nous renseigne sur les autres. Par exemple, quelqu'un qui se déplace rapidement est probablement pressé, alors qu'un autre qui crie souhaite peut-être manifester son mécontentement, et que quelqu'un qui ferme sa porte ne veut pas être dérangé. Les actions parlent. Nous devons toutefois être prudent, car notre interprétation des actions des autres peut être faussée par notre propre perception, d'où l'importance d'aller valider avant de conclure. En effet, une personne peut sourire par bonne humeur, mais aussi par gêne !

## Deuxième exercice : Accroître la conscience de soi

Je vous propose maintenant un exercice pour accroître la conscience de soi. N'oubliez pas qu'il est très difficile de gérer vos émotions si vous n'êtes pas conscient de ce qui se passe en vous quand vous êtes en proie à ces émotions.

Dans l'histoire suivante, faites ressortir les six aspects de la conscience de soi. Vous pouvez les inscrire à l'endroit prévu dans le tableau, puis consulter le corrigé à la page 313. Cet exercice vise à augmenter votre compréhension de l'ampleur de la conscience de soi et à vous aider à reconnaître les six aspects et à les distinguer.

---

### Histoire de cas

Une mère entend sa fille de seize ans pleurer dans sa chambre à l'étage, et elle a un pincement au cœur. Elle se déplace vers l'escalier et monte pour la consoler. Lorsqu'elle arrive devant la porte, la mère voit sa fille qui parle au téléphone et recule de quelques pas pour ne pas la déranger. Son estomac se serre, elle se sent inquiète, se disant qu'il s'est probablement passé quelque chose d'important. Elle se met à faire les cent pas dans le corridor, jusqu'à ce qu'elle n'entende plus rien. Soulagée de ne plus avoir à attendre dans l'incertitude, se disant qu'elle peut maintenant y aller, elle se dirige à nouveau vers la chambre de sa fille, s'approche d'elle et la prend dans ses bras pour lui montrer qu'elle est là pour elle. Sa fille lui confie alors qu'elle vient de rompre avec son petit ami.

| Aspects | Signes physiques | Perceptions | Système sensoriel | Sentiments | Intentions | Actions |
|---------|------------------|-------------|-------------------|------------|------------|---------|
| Histoire | a) | b) | c) | d) | e) | f) |

# LES SIGNES PHYSIQUES DE LA CONSCIENCE DE SOI

Des six aspects de la conscience de soi, les signes physiques sont une clé importante de l'éveil de notre potentiel caché, puisqu'ils nous renseignent sur notre façon de réagir physiquement aux différentes émotions présentes en nous. Ainsi, lorsque nous connaissons bien nos signes physiques associés aux émotions (rappelons que les signes physiques sont différents d'une émotion à l'autre et d'une personne à l'autre), nous pouvons les identifier de plus en plus rapidement et ainsi éviter que l'émotion atteigne une intensité très élevée, ce qui est moins facile à faire redescendre par la suite.

Cela dit, je me suis rendu compte que la plupart des gens ne sont pas vraiment conscients de ce qui se passe à l'intérieur d'eux lorsqu'ils vivent des émotions. Alors, puisque c'est très important et que c'est aussi le point de départ de la gestion de nos émotions, voici un exercice intéressant qui nous aide à prendre davantage conscience des signes physiques d'une émotion. Je parle de point de départ, car comment pouvons-nous passer à la gestion de nos émotions si nous ne sommes même pas conscient de la présence même d'une émotion à l'intérieur de nous ?

## Troisième exercice :
## Reconnaître les signes physiques

Il y a presque une dizaine d'années, je me suis trouvée dans une relation amoureuse qui me donnait beaucoup d'occasions de ressentir de la colère. Mon conjoint et moi avions plusieurs incompatibilités qui nous faisaient voir la vie différemment, ce qui occasionnait des conflits. Parce que je ne me connaissais pas comme aujourd'hui, j'étais souvent en proie à la colère à cette époque. Cette relation faisait ressortir des côtés de moi que je n'appréciais pas particulièrement. Je fais souvent des blagues en disant : « J'ai découvert à cette période de ma vie des côtés de moi que j'aurais préféré ne pas connaître ! »

Il y a par contre un bon côté à avoir vécu cette relation tumultueuse : j'ai appris à écouter les indices qui me font savoir que la colère risque de monter en moi. Je peux donc réagir plus promptement, avant qu'il ne soit trop tard et que la colère prenne le dessus.

Voici donc l'exercice que je vous propose. Repensez à une situation où vous avez ressenti de la colère ou de l'irritation. Le but n'est pas d'éprouver la même colère, mais bien de revoir, entendre et ressentir la réalité passée. Une fois que vous aurez recréé la scène, vous pourrez retourner dans votre corps avec l'intention sincère de découvrir les signes physiques qui étaient présents en vous, autrefois, quand vous vous étiez mis en colère. Évidemment, ces signes physiques pourront varier considérablement selon l'intensité de l'émotion. C'est pourquoi il est intéressant de se figurer un thermomètre gradué ainsi : 0-2-4-6-8-10. On note ensuite les signes physiques présents à chaque degré. On peut faire l'exercice pour chacune des émotions désagréables que l'on ressent, mais il faut être patient, car le travail ne se termine pas là. Par la suite, lorsqu'on ressentira des émotions au présent, on sera attentif à soi-même et à ses réactions afin de découvrir d'autres informations qui contribueront à élargir la conscience de soi. De plus, il serait intéressant de noter les impacts de ces émotions désagréables dans votre vie, pour constater le prix que vous payez lorsqu'elles sont présentes, ce qui devrait vous motiver à les gérer plus efficacement.

Émotion 1 : Colère
Signes physiques :
_____
_____
_____
_____

Impacts :
_____
_____
_____
_____
_____

Émotion 2 : Stress
Signes physiques :
_____
_____
_____
_____

Impacts :

_____

_____

_____

Émotion 3 :
Signes physiques : _____

_____

_____

_____

Impacts : _____

_____

_____

_____

_____

| | Émotions désagréables | | | |
|---|---|---|---|---|
| | **Stress** | | | |
| 0 | Calme ; paix | | | |
| 2 | Légère transpiration | | | |
| 4 | Serrement de gorge | | | |
| 6 | Pression ; mal de tête et de dos | | | |
| 8 | Accélération des battements cardiaques | | | |
| 10 | Difficulté à se concentrer ; confusion | | | |

# 3 La gestion de soi

Une fois qu'on possède une plus grande conscience de soi, il est possible de s'intéresser à la gestion de soi. Lorsqu'on se connaît bien et qu'on peut reconnaître et nommer les émotions que l'on ressent, il est beaucoup plus facile de les gérer. Toutefois, le travail ne se limite pas à la conscience, bien qu'elle soit la première étape essentielle. Il importe par la suite de développer des moyens de conserver une maîtrise personnelle, et ce, même dans les situations difficiles.

## QUELLE EST LA PRINCIPALE CAUSE DE NOS ÉMOTIONS ?

En comprenant mieux la principale cause des émotions, nous pourrons agir directement sur elles pour les modifier.

Je suis réputée pour poser la question suivante lors de mes conférences ou ateliers sur l'intelligence émotionnelle : « Une personne ou une situation peut-elle être la cause de nos émotions ? »

Je vous invite à repenser à différentes situations que vous avez vécues et dans lesquelles vous avez ressenti des émotions désagréables. Quelles idées aviez-vous ? Quel était votre discours intérieur ? Qu'est-ce que votre esprit ressassait ?

**Question :** *Que vous êtes-vous dit à ce moment-là ?*

_____

_____

_____

_____

Peut-être avez-vous écrit quelque chose comme : « Mon travail me stresse » ; « Mon mari m'enrage » ; « Mon enfant me décourage » ; etc.

De telles affirmations nous portent à croire, à tort, que la principale cause de nos émotions est extérieure à nous, qu'elles sont dues au travail, au mari ou à l'enfant. En fait, la majorité des gens croit que les personnes et les situations sont les principales causes de leurs émotions. S'il en était ainsi, comment pourrions-nous expliquer que, face à une même situation ou à un même individu, deux personnes puissent ressentir des émotions différentes ? En outre, il est possible qu'une personne ressente à un moment des émotions face à une situation, mais que celles-ci changent avec le temps. Par exemple, le départ d'un collègue de travail peut nous attrister, mais au fil des mois il peut arriver que nous ayons encore plus de plaisir à travailler avec le nouveau venu. On se croyait triste, et voilà qu'on est heureux. C'est la preuve que ce sont nos idées et notre façon de voir l'événement qui nous causent nos émotions.

De plus, si un événement ou une personne causait nos émotions, tout le monde ressentirait la même chose face à une même situation, et cette émotion resterait la même dans le temps, telle une relation de cause à effet. En réalité, cela se passe différemment : face à telle situation, des gens différents ressentent des émotions différentes.

Voici donc divers exemples qui nous permettront d'éclaircir la question et de mieux comprendre la principale cause des émotions.

---

### ⓒ  Histoire de cas n° 1 : La femme dans l'ascenseur

Une femme entre dans un ascenseur bondé et se retrouve face à la porte, encombrée par sa mallette. Elle doit se rendre au vingt-deuxième étage ; les passagers sont serrés comme des sardines. Soudain, quelqu'un lui frôle la fesse droite de la main et elle se dit : « Quel hypocrite ! Il profite de la situation ! Si au moins je pouvais me retourner, je lui dirais ma façon de penser. Il faut vraiment être désespéré pour abuser des gens comme ça ! » Plus elle se parle ainsi, plus l'intensité de sa colère augmente.

> *Si vous aviez été cette femme dans l'ascenseur, qu'auriez-vous pensé ? Comment auriez-vous perçu la situation ?*

Une fois au vingt-deuxième étage, la femme est prête à déverser sa colère sur cet abruti. Toutefois, quand elle se retourne, elle aperçoit un aveugle qui semble très nerveux, et sa colère disparaît immédiatement. « Pauvre homme », pense-t-elle, et elle ressent pour lui de l'empathie, voire de la pitié. Pourtant, cet homme lui a bel et bien frôlé la fesse d'une main ! Mais sa perception de la situation a changé et elle n'éprouve plus la même émotion.

Avant de croire totalement à nos interprétations et à nos perceptions, il faut s'assurer qu'il n'y a pas d'autres explications possibles. Parfois, l'explication réelle nous restera inconnue, mais il y en a forcément une. Cela n'excuse pas tout, bien sûr, mais nous aide à expliquer et à comprendre la réalité des autres, et surtout, cela contribue à nous aider à ne pas nous laisser aller à ressentir des émotions à des intensités élevées, ce qui risquerait de nous faire adopter des comportements inappropriés que l'on pourrait regretter.

## Histoire de cas nº 2 : L'homme dans l'avion

Un homme d'affaires voyage en avion vers Calgary où il doit prendre part à une réunion importante. Son ordinateur portable est allumé devant lui et l'homme prépare sa présentation, mais trois enfants bruyants l'empêchent de se concentrer. « Impossible d'être tranquille ! » rage-t-il. Il peut voir le père des enfants, mais celui-ci reste assis, passif, sans rien faire ni rien dire pour les calmer. « Quel père irresponsable ! Se dit l'homme d'affaires. Voilà comment on fabrique des enfants-rois ! Si j'étais père, ça ne se passerait pas comme ça ! » Plus il ressasse ces idées, plus il se sent irrité et plus sa colère s'intensifie. Il n'arrive même plus à se concentrer sur son travail. Quand il en a assez, il se lève et se dirige vers le père. Arrivé à sa hauteur, il lui demande de calmer ses enfants turbulents, qui le dérangent beaucoup. Le père le regarde, d'un air désemparé et triste, et répond : « Ils ne savent probablement pas comment réagir, tout comme moi. Leur maman est morte hier. »

La colère de l'homme d'affaires disparut instantanément. Parce qu'il put modifier sa perception grâce à ces nouvelles informations, il ressentit plutôt de la tristesse. Le changement de ses idées rendit possible l'empathie et la compassion. Dès lors, il lui fut plus facile d'être compréhensif et d'accepter la situation, même si cela le dérangeait dans son travail.

---

@ *Histoire de cas n° 3 : Le cancer d'un homme et les réactions de ses proches*
Un homme vient d'apprendre qu'il a le cancer du poumon et doit annoncer la mauvaise nouvelle à ses proches. Sa femme entre aussitôt dans une colère noire : « Tu aurais dû arrêter de fumer depuis longtemps ! Je te l'ai dit souvent, mais tu ne m'écoutes pas ! Tu nous fais tous payer à cause de tes mauvaises habitudes ! »

Elle lui en veut de ne pas avoir écouté ses conseils.

Son fils, lui, se sent impuissant. Il ne sait pas quoi dire à son père. Il voit qu'il souffre, mais il ignore comment l'apaiser ou le réconforter. Quant à la sœur de l'homme, elle est triste et accablée. Le poids insupportable de la maladie de son frère lui cause une peine épouvantable.

Cette histoire démontre que les événements sont des occasions (des éléments déclencheurs) à partir desquelles nous entretenons des idées différentes qui sont, elles, les principales causes de nos émotions.

Nous pouvons aussi penser à un congédiement ou à une rupture amoureuse. Les réactions émotionnelles varieront selon ce que chacun se dira par rapport à ces situations. De plus, une personne réagira différemment face à une même situation, selon les circonstances du moment, en raison de la différence dans ses idées et sa perception.

En effet, dans le cas d'un congédiement, la personne qui se dit que c'est la fin du monde sera très angoissée. Une autre personne sera plutôt en colère contre le patron. Une autre, qui en avait assez de son poste, se sentira peut-être libérée, heureuse d'avoir été congédiée !

---

*Quelle serait votre perception actuelle d'un congédiement ? Vos idées vous aideraient-elles à affronter la situation ? Vous nuiraient-elles ?*

Quant à une rupture amoureuse, une personne qui aime à la folie son conjoint ressentira plus de tristesse que celle qui ne l'aimait plus. C'est pourtant la même situation, mais en raison des idées associées à chacune de ces situations distinctes, les émotions ressenties sont différentes. Ce n'est donc pas la situation qui nous cause des émotions, mais bien les idées que nous entretenons concernant les situations. Les événements et les personnes ne sont que des occasions pour chacun d'entretenir certaines idées et pensées. Quand nous nous sentons bien face à une situation, nous pouvons en conclure que les idées et les pensées que nous entretenons concernant cette situation nous aident. Alors que dans les cas contraires, quand nous nous sentons mal et que nous ressentons intensément des émotions désagréables, c'est fort probablement parce que nos idées et nos pensées par rapport à la situation nous nuisent !

> Quelle serait votre perception actuelle d'une rupture amoureuse ? Vos idées vous aideraient-elles à affronter la situation ? Vous nuiraient-elles ?

J'entends déjà des gens dire : « Oui, mais c'est plus facile de bien accepter une rupture amoureuse si j'en ai assez de la relation que si l'amour de ma vie me quitte sans crier gare ! » Vous avez raison. Par contre, il n'est pas utile de ressasser pendant des mois des idées telles que : ma vie est finie ; l'amour de ma vie m'a quitté. Ces réflexions ne feront que vous mettre dans un état émotif lamentable. Évidemment, il n'est pas facile de se dire : « D'accord, il m'a quittée, mais un de perdu et dix de retrouvés ! » et ce n'est pas ce que je vous demande. Je vous invite plutôt à réaliser que certains de vos discours intérieurs vous nuisent énormément et qu'il est souhaitable pour vous d'en être conscient si vous voulez les modifier.

À la lumière de ces différents exemples, nous voyons que ce sont **nos idées, notre perception** des situations et des personnes qui sont les principales causes de nos émotions. Il nous faut donc changer ces idées et cette perception, si nous voulons modifier les émotions désagréables que nous ressentons.

En agissant sur nos idées, nous agissons directement sur la cause de nos émotions. De plus, il importe de comprendre que, lorsque nous ressentons fortement des émotions désagréables, notre comportement en est nécessairement affecté : il devient inadéquat, inapproprié et inefficace. Par exemple, sous le coup de l'émotion, une personne peut dire ou faire des choses qui dépassent sa pensée et qu'elle regrettera quand elle se sera calmée.

Évidemment, le but n'est pas simplement de remplacer les idées qui nous nuisent par des pensées positives pour voir la vie avec des lunettes roses! Certains événements de la vie n'ont rien de réjouissant. L'objectif est de considérer les situations de la manière la plus juste possible en entretenant des idées réalistes plutôt qu'irréalistes. Quand nous avons une perception réaliste des situations, nous arrivons à conserver une certaine maîtrise personnelle et à ressentir les émotions moins intensément. Voilà donc ce que propose l'approche émotivo-rationnelle. Le schéma des idées aux émotions qui suit résume bien ces différentes explications, tout en illustrant la théorie principale de l'approche émotivo-rationnelle.

## Schéma des idées aux émotions

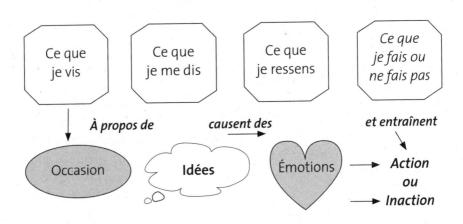

Source : Schéma inspiré d'un document du CFPPERQ et de l'approche émotivo-rationnelle.

Depuis le début de cette section, il est question d'identifier la principale cause de nos émotions, ce qui sous-entend qu'il y a d'autres causes en jeu. Effectivement, on reconnaît trois catégories de causes aux émotions. Tout d'abord nos **idées**, ce qu'on appelle aussi les cognitions (pensées, croyances, etc.). C'est d'ailleurs cette catégorie qui nous intéresse davantage, puisqu'il s'agit de celle sur laquelle nous avons la possibilité d'agir le plus rapidement et le plus efficacement. Les deux autres causes de nos émotions sont les **causes physiologiques**, qui relèvent par exemple de l'alcool, des drogues, des médicaments ou même des hormones. Puis les **causes sensorimotrices** qui relèvent des perceptions sensorielles : toucher, goût, vue, odorat et ouïe.

Avant d'aller plus loin, il serait intéressant d'identifier les différents courants qui existent en psychologie pour y situer l'approche émotivo-rationnelle.

## Le courant cognitivo-comportemental

En psychologie, il existe trois courants qui tentent, chacun à leur façon, d'expliquer la personne, son développement, sa personnalité, ses réactions, ses émotions et ses comportements. Chacun de ces courants propose ses propres modèles théoriques, ses techniques d'interventions, ses avantages et ses limites. Bien que la plupart des intervenants suivent un courant principal afin d'orienter leurs interventions, il est très utile d'emprunter des notions aux différents courants, ce qui donne davantage de flexibilité.

Le courant **psychodynamique-analytique** s'intéresse davantage aux conflits internes et aux processus inconscients. Il est orienté vers le passé et se préoccupe des expériences de l'enfance. Ce courant a été très influencé par la psychanalyse. Son principal modèle théorique soutient que les problèmes reflètent principalement les expériences de la petite enfance et les conflits internes refoulés et non résolus de l'histoire personnelle.

Pour le courant psychodynamique-analytique, c'est en prenant conscience de l'influence des conflits inconscients et en maîtrisant davantage les pulsions et les sentiments tels que la culpabilité et la honte, qu'une personne peut développer de nouveaux comportements plus appropriés.

Le courant **existentiel-humaniste** se concentre sur la qualité de l'expérience subjective consciente de la personne, sur sa capacité à assumer son existence, à être l'auteur de sa vie et à réaliser son plein potentiel. Il prend en considération le vécu actuel et ce qui se passe dans le présent. Il se rattache au fait que la personne a la capacité de prendre conscience de ses difficultés actuelles, de les comprendre et de changer ses attitudes et ses comportements en conséquence. Dans ce courant, on conçoit que les problèmes résultent des barrages rencontrés au cours de la vie, qui ont fait que la personne en est venue à perdre le contact et à renier des parties d'elle-même. L'objectif de ce courant est donc de créer un climat qui permettra à la personne de faire appel à ses propres ressources pour dénouer ses impasses et pour renouer avec les parties dont elle était coupée.

Le troisième courant, le **cognitivo-comportemental**, est celui dont il est principalement question dans ce livre. Ce courant considère que les difficultés psychologiques et comportementales rencontrées par une personne tirent leur origine de ses cognitions (idées, croyances, perceptions, pensées automatiques erronées) apprises tout au long de la vie. L'accent est mis sur le présent et le futur de la personne plutôt que sur son passé. L'objectif est que la personne identifie les émotions, les comportements et les attitudes qu'elle souhaite transformer, puis qu'elle analyse et change les cognitions. Il est donc possible d'éliminer des modèles de comportement qui vont à l'encontre des buts recherchés, en modifiant directement les pensées irrationnelles et en se donnant des perceptions plus justes de soi-même, d'autrui et de la réalité. Ce courant propose d'acquérir des outils concrets pour résoudre ses difficultés émotionnelles et ses problèmes comportementaux. La thérapie béhaviorale et l'approche émotivo-rationnelle sont des exemples de méthodes associées au courant cognitivo-comportemental. Nous apprendrons plus loin à utiliser des outils de l'approche émotivo-rationnelle pour changer nos émotions désagréables et nos comportements inadéquats.

## LES PENSÉES AUTOMATIQUES ERRONÉES

Lorsque nous parlons de pensées automatiques erronées, nous nous référons au phénomène des distorsions cognitives (Beck *et al.*, 1979 ; Beck et Emery, 1985 ; De Rubeis et Beck, 1988).

Les distorsions cognitives sont des erreurs de la pensée qui résultent en un traitement erroné de l'information qui nous amène à conclure et à croire à des idées fausses. En déformant ainsi la réalité, nous affectons défavorablement nos émotions et nos comportements. Afin d'éliminer les effets négatifs de ces erreurs, il faut développer une perception juste de la réalité.

Voici donc sept types importants de distorsions cognitives tels qu'exposés par David Burns.

## 1. La pensée dichotomique ou le tout ou rien

Classer les expériences en deux catégories extrêmes : les bonnes et les mauvaises. La pensée n'est donc pas nuancée ; c'est noir ou blanc. Il est difficile de percevoir une zone grise.

Exemples :
*Je suis bon à rien.*
*Parce que ma conférence laisse à désirer, je suis nulle.*
*Je ne peux avoir confiance en personne.*

En se croyant bonne à rien, la personne se dévalorise et diminue son estime personnelle. Par conséquent, il lui sera plus difficile d'entreprendre des actions constructives. Il est donc utile d'apprendre à nuancer !

## 2. La personnalisation

S'approprier la cause ou les conséquences d'un événement, alors qu'aucun indice ne l'autorise. Se sentir responsable d'une situation fâcheuse sans être fautif.

Exemples :
*Je suis responsable du bonheur de mon conjoint.*
*Qu'est-ce que j'ai fait pour que mon amie annule notre souper ?*

Dans ces deux exemples, qui a dit que la personne est en cause et pourquoi elle l'est ? Elle s'approprie des causes qui ne relèvent pas d'elle, puisque le bonheur est une responsabilité individuelle et personnelle.

3. **L'inférence arbitraire**
   Arriver à une conclusion en l'absence de plusieurs évidences. La personne n'a aucune preuve de ce qu'elle affirme.

   Exemples :
   *C'est certain que je me ferai attaquer si je sors tard le soir.*
   *Elle n'a pas retourné mon appel, elle est sans doute fâchée contre moi.*

   Pour remédier à ce type d'erreur de pensée très fréquente, apprenons à nous poser les questions suivantes : « Où est la preuve de ce que j'affirme ? Je me base sur quoi pour affirmer qu'il en est ainsi ? Cette preuve est-elle valide et suffisante ? »

   Les réponses à ces questions nous aideront à soulever nos inférences arbitraires !

4. **La surgénéralisation ou généralisation à outrance**
   Échafauder une conclusion sur la base d'un indice isolé et appliquer cette conclusion à d'autres situations. Un seul événement semble faire partie d'un cycle sans fin d'échecs.

   Exemples :
   *J'ai échoué à un examen, donc je serai recalé à la fin de l'année.*
   *Je ne fais jamais rien comme il faut !*

   Pour découvrir nos généralisations à outrance, portons simplement attention aux quantificateurs universels que nous utilisons : toujours, jamais, rien, personne, tout le temps, etc. Puis demandons-nous si c'est vraiment toujours comme cela.

5. **La minimisation**
   Minimiser la gravité ou la signification d'un événement, jusqu'à ce qu'il semble tout petit ou sans importance.

   Exemples :
   *Je n'ai pas eu une si bonne semaine.*
   *Ce n'est pas si grave, notre querelle n'a duré que quelques minutes.*

La minimisation peut parfois nous empêcher de nous attarder à une situation qui mériterait qu'on le fasse. Par exemple, peut-être que la querelle n'a duré que quelques minutes, mais comment s'est-elle déroulée ? Y a-t-il eu des manques de respect inacceptables qu'on a minimisés ? Il importe de voir les situations dans leur juste perspective !

6. *L'abstraction sélective*
   Donner de l'importance à un détail en ignorant des aspects plus importants de la situation.

   Exemples :
   *Parce que j'ai bafouillé, ma présentation a été très mauvaise.*
   *Parce que j'ai haussé le ton, je suis une mauvaise mère.*

   Il peut être très coûteux de faire de l'abstraction sélective. Par exemple, la mère de notre exemple oublie sans doute tout ce qu'elle fait de bien. Et puis il n'est pas souhaitable de bafouiller lors d'une présentation, mais cela ne rend pas l'ensemble forcément mauvais. D'ailleurs, la perception d'une tierce personne pourrait être très différente.

7. *L'exagération ou la dramatisation*
   Amplifier la signification, l'importance ou la gravité d'un événement.

   Exemples :
   *C'est épouvantable, j'ai perdu mon livre préféré !*
   *Je serai en retard, c'est une catastrophe !*

   Pour remédier à cette mauvaise habitude qu'est l'exagération, mauvaise en ce sens qu'elle nous amène à ressentir intensément des émotions désagréables, il faut apprendre à relativiser les événements du quotidien auxquels nous donnons parfois une ampleur démesurée. Pour ce faire, il suffit de se demander : « Est-ce vraiment si épouvantable ? Est-ce réellement cela, une catastrophe ? »

   Ces simples questions peuvent nous aider à dédramatiser et à voir les événements dans leur juste perspective.

# L'APPROCHE ÉMOTIVO-RATIONNELLE
## À LA RESCOUSSE DES IDÉES IRRÉALISTES

L'approche émotivo-rationnelle, plus précisément la théorie des idées aux émotions, s'inscrit dans le courant cognitivo-comportemental décrit plus haut. Cette approche est assez contemporaine, bien qu'elle puise son origine chez certains penseurs de l'Antiquité, comme Socrate, Marc-Aurèle et Épictète.

C'est le psychologue et auteur Lucien Auger qui a introduit l'approche émotivo-rationnelle au Québec au milieu des années 1980. Aux États-Unis, le pionnier de cette approche est Albert Ellis qui en présenta les principes et la pratique dans *Reason and Emotion in Psychotherapy*.

L'approche émotivo-rationnelle se présente comme une méthode active et directive. Elle reconnaît l'importance déterminante des cognitions (interprétations, pensées, croyances) dans la création de l'émotion et la détermination de l'action.

Autant orientée sur l'accueil, la reconnaissance, l'acceptation et la verbalisation des émotions que sur le changement des cognitions, cette approche a pour but de permettre des comportements plus favorables à l'atteinte des objectifs et elle vise une meilleure compréhension de notre monde émotif. Elle veut développer la capacité de distinguer le vrai du faux, sur le plan de la réalité.

L'approche émotivo-rationnelle permet de modifier les comportements et les attitudes souhaités en remplaçant progressivement les idées, opinions et croyances irréalistes. En effet, selon cette approche, ce ne sont pas les événements, les personnes ou les situations qui nous causent des émotions, mais plutôt les idées qu'on s'en fait : la perception, le jugement et l'interprétation. Il importe donc de distinguer la cause d'une émotion de son élément déclencheur. Les événements et les personnes peuvent être des occasions de ressentir une émotion ; ils sont alors des éléments déclencheurs. Alors que les causes de l'émotion sont les idées entretenues. Donc, pour changer l'émotion, il faut changer les idées.

Si je change ma perception ou mes idées à propos de l'événement ou de la personne, je changerai l'émotion vécue. Lorsque l'intensité de l'émotion désagréable aura diminué, il sera possible d'adopter des comportements plus adéquats, appropriés et efficaces.

De plus, l'approche émotivo-rationnelle propose que, pour chacune des émotions désagréables ressenties, il y a une ressemblance dans le discours intérieur des gens. Le discours intérieur traduit les idées que nous entretenons, nous l'appelons aussi l'« histoire que nous nous racontons », notre « cassette », notre « cinéma intérieur ». Cela signifie que des personnes différentes qui ressentent par exemple de la colère entretiennent intérieurement les mêmes idées. Les mots ou expressions utilisés peuvent varier, toutefois les idées de fond sont les mêmes. Il en va de même pour l'ensemble des émotions. La théorie émotivo-rationnelle nous permet donc de comprendre que chaque émotion désagréable possède sa propre catégorie d'idées. Nous pouvons consulter le *Glossaire des idées aux émotions* (en annexe, à la page 319) pour répertorier les idées irréalistes que nous entretenons, identifier les questions à utiliser pour les débusquer, mais aussi pour identifier les idées réalistes que nous aurions avantage à entretenir. Mais comment pouvons-nous arriver à modifier nos idées irréalistes et à changer notre discours intérieur ?

## COMMENT MODIFIER SA PERCEPTION (SES IDÉES)

Pour modifier notre perception, l'approche émotivo-rationnelle propose d'abord de remettre en question nos idées irréalistes en les confrontant avec la réalité à l'aide d'un questionnement adapté. En effet, pour chacune des émotions désagréables ressenties, des questions spécifiques nous permettent de confronter nos idées et de les remplacer par d'autres plus réalistes.

Le **formulaire de confrontation** est un outil fort utile pour identifier les idées irréalistes responsables de nos émotions désagréables et les remplacer par des idées plus réalistes. Cet outil vise à diminuer l'intensité émotionnelle dans le but de modifier nos comportements. Les idées plus réalistes assurent des comportements beaucoup plus appropriés et efficaces selon nos objectifs. Il faut savoir que, pour réussir un tel exercice, il est important de confronter la bonne émotion, c'est-à-dire d'avoir identifié les idées irréalistes qui permettent de reconnaître l'émotion en question. Sinon, la confrontation, c'est-à-dire le questionnement suggéré (il y a un questionnement propre à chacune des émotions désagréables), ne correspondra pas à la bonne émotion et n'aura pas d'effets sur la diminution de l'intensité émotive.

Le but de l'approche émotivo-rationnelle est donc de nous aider à identifier nos idées irréalistes, puis, grâce à l'outil de confrontation et au questionnement approprié, de les remettre en question et de les remplacer par des idées plus réalistes. La confrontation permet en quelque sorte de *ramollir* les idées irréalistes solidement enracinées en soi pour ensuite les remplacer plus facilement par des idées réalistes ou plus neutres.

**En résumé...**
La confrontation : Une démarche fondamentale par laquelle une personne peut arriver à modifier ses croyances, conceptions et idées.

Objectif : Identifier les idées irréalistes, les remettre en question et les remplacer afin de modifier sa perception et par conséquent l'émotion ressentie.

Méthodologie : Utiliser le formulaire de confrontation. Se poser les bonnes questions pour obtenir les bonnes réponses !

Pour devenir habile à confronter nos idées, nous devons d'abord les entendre. Donc, le premier exercice est de prendre l'habitude, face aux différentes situations vécues, d'être à l'écoute de notre dialogue intérieur. Pour entendre ce dialogue et mettre au jour nos idées, pensées et perceptions, il est plus facile de partir de nos émotions. Donc, chaque fois que nous prenons conscience que nous sommes en train de ressentir une émotion, posons-nous ces questions :

*Qu'est-ce que je suis en train de me dire présentement ?*
*À quoi est-ce que je pense ?*

| Émotions ressenties | Dialogue intérieur (idées entretenues) Qu'est-ce que je suis en train de me dire présentement? À quoi est-ce que je pense? |
|---|---|
| **Exemples** Colère | **Exemples** Il n'est pas correct. |
| Stress | Ce qui m'arrive est la fin du monde et je peux difficilement y faire face. |
| Dévalorisation | Je ne suis pas bon. |
| Culpabilité | Je n'aurais pas dû agir ainsi. |

Plus nous faisons cet exercice régulièrement, plus nous comprenons que, quand nous nous sentons bien, c'est que nos pensées sont réalistes, favorables ou positives. Inversement, quand nous ressentons une émotion désagréable, c'est que les idées que nous entretenons sont irréalistes, défavorables ou négatives. Avec l'habitude, il devient plus facile d'entendre ses idées et de se demander si elles nous aident ou nous nuisent, puis de les remplacer, éventuellement.

## La confrontation

La technique de confrontation des idées permet de modifier notre perception et de remplacer nos idées irréalistes. Il s'agit de les remettre en question et de les comparer avec la réalité. Des idées plus réalistes et plus neutres ont un impact favorable sur nos comportements. Évidemment, gérer les émotions ne veut pas dire tout accepter, nous en parlerons plus loin. Toutefois, la maîtrise de soi est essentielle, par exemple lorsqu'on désire manifester son mécontentement.

Cette technique est très utile pour ceux qui désirent améliorer leur gestion de soi, nécessaire à l'éveil de leur plein potentiel. Elle permet d'agir à trois niveaux : **intensité, durée** et **fréquence**.

Voici la démarche à adopter lorsque nous désirons confronter nos idées pour diminuer l'intensité d'une émotion désagréable.

1. Nommer l'événement ou l'occasion qui a déclenché l'émotion (l'élément déclencheur). *Qu'est-ce qui s'est passé ?*
2. Identifier l'émotion ressentie sur le moment, ainsi que son intensité sur une échelle de 0 à 10 (10 étant très intense).
3. Décrire le comportement que nous avons adopté. Quelles furent nos réactions ?
4. Écrire les idées qui nous ont traversé l'esprit. Écouter notre discours intérieur et identifier les idées irréalistes.
5. Reprendre nos idées, les confronter et les remettre en question.
6. Remplacer notre discours en adoptant des idées plus réalistes.
7. Évaluer notre résultat émotif. Comment nous sentons-nous après la confrontation ? Quelle est l'intensité de notre émotion (sur une échelle de 0 à 10) ?
8. Nommer les nouveaux comportements plus appropriés que nous serons en mesure d'adopter.

Pour réussir vos confrontations, utilisez une feuille de confrontation différente par émotion. Il arrive fréquemment que, pour une même situation, nous ressentions plusieurs émotions différentes ; il est donc important de les confronter séparément. Je vous suggère fortement de le faire par écrit. Cela finira par devenir une seconde nature pour vous, un nouveau réflexe. Vous allez connaître par cœur les bonnes questions à vous poser pour changer vos perceptions.

## Le formulaire de confrontation

*Exemple de formulaire de confrontation*

1. **Nommer l'événement ou l'occasion qui a déclenché l'émotion (l'élément déclencheur). *Qu'est-ce qui s'est passé ?***
   *Une personne attend depuis un bon moment dans une file, lorsqu'une autre la dépasse, comme si de rien n'était.*

2. **Identifier l'émotion ressentie sur le moment, ainsi que son intensité sur une échelle de 0 à 10 (10 étant très intense).**
   *Colère, irritation et impatience. 8/10*

3. **Décrire le comportement que nous avons adopté. Quelles furent nos réactions?**

   *La personne en colère peut insulter celle qui l'a dépassée. Ses gestes seront brusques et le ton de sa voix inadéquat.*

4. **Écrire les idées qui nous ont traversé l'esprit. Écouter notre discours intérieur et identifier les idées irréalistes.**

   *Elle n'a pas le droit de dépasser les autres.*
   *Elle n'est pas correcte de faire cela.*
   *Elle devrait prendre la file.*
   *Elle aurait dû attendre son tour.*

5. **Reprendre nos idées, les confronter et les remettre en question.**

   *Y a-t-il dans la réalité quelque chose qui interdise à cette personne d'agir ainsi ou qui l'oblige à agir autrement?*
   *Si tel est le cas, comment expliquer qu'il lui a été possible d'agir comme elle l'a fait?*
   *Qui suis-je pour exiger des autres qu'ils agissent selon mes désirs?*

6. **Remplacer notre discours en adoptant des idées plus réalistes.**

   *Même si ça me déplaît et que je ne suis pas d'accord, car selon mes valeurs personnelles cela ne se fait pas, cette personne avait pleinement et parfaitement le droit d'agir ainsi. La preuve, c'est qu'elle l'a fait! Avec les idées qu'elle avait et les émotions qu'elle éprouvait, il lui était impossible d'agir autrement. Elle a agi en fonction de ce qu'elle croyait bon pour elle à ce moment-là.*

7. **Évaluer notre résultat émotif. Comment nous sentons-nous après la confrontation? Quelle est l'intensité de l'émotion (sur une échelle de 0 à 10)?**

   *L'émotion ne sera peut-être pas retombée à 0, mais, si elle passe de 8 à 4, c'est mieux et cela affectera favorablement les comportements.*

8. **Nommer les nouveaux comportements plus appropriés que nous serons en mesure d'adopter.**

   *S'adresser à la personne de manière respectueuse, sur un ton approprié, pour lui dire que les gens attendent depuis longtemps et qu'on apprécierait qu'elle se mette à la file comme les autres.*

Et maintenant, à vous de jouer, avec un exemple personnel !

1. Nommer l'événement ou l'occasion qui a déclenché l'émotion (l'élément déclencheur). *Qu'est-ce qui s'est passé ?*

_____

_____

_____

_____

2. Identifier l'émotion ressentie sur le moment, ainsi que son intensité sur une échelle de 0 à 10 (10 étant très intense).

_____

_____

_____

_____

3. Décrire le comportement que vous avez adopté. Quelles furent vos réactions ?

_____

_____

_____

_____

4. Écrire les idées qui vous ont traversé l'esprit. Écouter votre discours intérieur et identifier les idées irréalistes.

_____

_____

_____

_____

5. Reprendre vos idées, les confronter et les remettre en question.

_____

_____

_____

_____

6. Remplacer votre discours en adoptant des idées plus réalistes.

_____

_____

_____

_____

7. Évaluer votre résultat émotif. Comment vous sentez-vous après la confrontation ? Quelle est l'intensité de l'émotion (sur une échelle de 0 à 10) ?

_____

_____

_____

_____

8. Nommer les nouveaux comportements plus appropriés que vous serez en mesure d'adopter.

_____

_____

_____

_____

L'exercice de confrontation est utile pour les situations qui nous font ressentir de fortes émotions. Par contre, il est moins indiqué pour les situations qui nous affectent sans que l'émotion nous submerge.

## Quatrième exercice :
## Gérer ses émotions à l'aide de l'approche émotivo-rationnelle

Voici deux histoires de cas qui vous aideront à intégrer la démarche de confrontation des idées. Dans chacune d'elles, identifiez les différentes émotions ressenties par la personne. Puis, inscrivez à l'endroit approprié du tableau les idées irréalistes responsables de cette émotion ; le questionnement (choisir une ou deux questions pertinentes) ; et notez les idées réalistes à entretenir. Pour ce faire, je vous invite à utiliser le *Glossaire des idées aux émotions* (en annexe 2, à la page 319) et à consulter le corrigé (en annexe 1, à la page 314).

@ *Histoire de cas nº 1*

Marie a rencontré cet après-midi le directeur de l'école de Marc, son fils aîné. On lui a annoncé que Marc redoublerait. Ce soir, Marie a appelé sa sœur pour se confier : « Je ne suis pas une bonne mère, je me sens nulle. J'ai peur pour son avenir, que va-t-il devenir ? S'il fallait qu'il décroche à cause de cela, ce serait l'enfer ! En même temps, je lui en veux de ne pas avoir fait plus d'efforts. Je lui ai souvent dit d'étudier plus et il ne m'a pas écoutée. Voilà ce que ça donne aujourd'hui : un échec ! »

| Émotions ressenties | Idées irréalistes | Confrontation (Questions à se poser) | Idées réalistes |
|---|---|---|---|
|  |  |  |  |
|  |  |  |  |
|  |  |  |  |

@ *Histoire de cas nº 2*

Les patrons de Johanne lui ont annoncé qu'elle sera mise à pied la semaine prochaine. Lorsqu'elle rentre à la maison et en parle avec son conjoint, elle lui dit : « C'est dommage, j'aimais mon travail. J'aurais dû m'investir et m'impliquer davantage. J'aurais pu suivre la formation de perfectionnement qu'on m'avait suggérée. Ainsi, j'aurais peut-être conservé mon poste. En plus, à mon âge, je n'arriverai jamais à retrouver un emploi semblable. Ça ne marchera pas, je me sens accablée. »

| Émotions ressenties | Idées irréalistes | Confrontation (Questions à se poser) | Idées réalistes |
|---|---|---|---|
| | | | |
| | | | |
| | | | |

## QUELQUES PRÉCISIONS SUR LA PRINCIPALE CAUSE DE NOS ÉMOTIONS

Nous parlons depuis un moment de l'importance de nos idées comme causes de nos émotions. Toutefois, que représentent exactement ces émotions ? D'où proviennent-elles ?

### L'impact de notre culture, de nos croyances et de nos valeurs sur nos idées

Nos idées se traduisent sous forme de phrases qu'on se dit d'abord en soi-même et qu'on peut ensuite verbaliser. Elles créent notre perception. Comme on peut le voir dans le tableau des idées aux émotions, nos idées représentent plus spécifiquement nos croyances, pensées, conceptions, évaluations, jugements, interprétations, scénarios, préjugés, valeurs, etc. Elles sont fortement influencées par notre milieu familial, notre éducation et la perception que nous en avons retiré, notre héritage culturel et social, nos expériences et apprentissages passés. Nous avons en quelque sorte été forgé à l'image de ce que nous avons vécu. Si nos parents nous ont répété sans cesse que l'argent est une chose sale, nous croirons sans doute la même chose à l'âge adulte. À moins que nous décidions consciemment de croire autre chose, par exemple que l'argent est une énergie positive et que nous méritons de vivre dans l'abondance. Rappelons-nous que nous ne pouvons pas changer le passé, mais que nous pouvons changer la perception que nous en avons. De plus, nous pouvons à tout moment choisir en quoi nous voulons croire. Nous gagnons à dresser la liste des croyances, valeurs, préjugés, etc., qui nous ont été transmis par notre entourage et notre environnement, puis à identifier ce que nous désirons conserver et ce que nous voulons remplacer par quelque chose de plus constructif.

**Croyances, valeurs et préjugés hérités du passé :**

_____
_____
_____

**Ce qui est positif et que je souhaite conserver :**

_____
_____
_____

**Ce qui est nuisible et dont je veux me débarrasser :**

_____
_____
_____

**Par quelles autres croyances vais-je les remplacer ?**

_____
_____
_____

L'origine de nos idées (croyances, valeurs, expériences, etc.) explique en partie en quoi il peut être parfois difficile de s'entendre avec certaines personnes. Les émotions et les comportements, ainsi que les idées, varient d'une personne à l'autre. Il arrive donc que nous ne soyons pas d'accord avec les comportements d'une personne, qui nous paraissent inacceptables. Par exemple, celui à qui ses parents ont inculqué l'idée qu'on ne se sert pas dans le réfrigérateur lorsqu'on est en visite, sera sans doute offusqué si l'un de ses invités ouvre son réfrigérateur sans lui demander la permission. Pour l'invité, un tel comportement peut être tout naturel et n'est pas une marque d'impolitesse, alors que ce geste est jugé offensant par l'hôte. Ainsi, lorsque nous ne sommes pas d'accord avec les comportements, attitudes, actions ou idées des autres, rappelons-nous que cela est probablement dû au fait que nous avons des perceptions différentes. Qui a raison ? Nous voulons croire que notre perception est la meilleure, mais force est d'admettre qu'il ne s'agit pas là de la vérité universelle. Un dicton dit : « Être heureux, plutôt qu'avoir raison ! » Je crois que dans certaines situations, par exemple quand nos perceptions diffèrent et que la possibilité de s'entendre ne semble pas envisageable, la mise en application de cette phrase peut nous être d'un grand secours !

## RÉPONSES À DES QUESTIONS FRÉQUEMMENT POSÉES SUR LA GESTION DE NOS ÉMOTIONS

Les gens qui assistent à mes conférences ou qui ont lu mes livres me posent souvent les mêmes questions. En voici les réponses.

### Gérer nos émotions, ça veut dire ne plus en ressentir du tout ?

L'être humain est un être d'émotions. Elles colorent nos expériences et notre vie, alors il est certain que nous désirons continuer à en vivre. De plus, les émotions sont des sources importantes d'informations. Ainsi, l'objectif, en gérant mieux nos émotions, n'est pas de ne plus en ressentir du tout et d'avoir une vie monotone, mais plutôt de conserver une certaine maîtrise personnelle. Pour imager la gestion de nos émotions, visualisez l'émotion comme une grande vague, alors que nous sommes sur une planche de surf. La vague, soit l'émotion, a la possibilité de nous renverser complètement, de nous entraîner au fond de l'eau. Il se peut qu'on ait du mal à sortir la tête de l'eau. De plus, pendant que nous sommes sous l'eau, nous ne voyons pas ce qui se passe à la surface, nous vivons une certaine perte de contrôle. L'idée réaliste la plus importante concernant la gestion de nos émotions est d'arriver le plus souvent possible à surfer avec la vague, soit l'émotion. C'est-à-dire ne pas se laisser submerger par celle-ci, mais plutôt de garder le contrôle et la maîtrise de soi. Je dis bien « le plus souvent possible », car nous sommes des humains et il y a des moments où nous sommes davantage vulnérables et où il se peut que, bien que nous soyons outillés, nous glissions sous la vague ! Par exemple, si nous sommes plus fatigués physiquement ou émotionnellement, certaines situations seront peut-être moins faciles à gérer. Mais rappelons-nous que cela ne veut pas dire que c'est impossible ! Encourageons-nous : plus nous apprenons à composer avec les émotions, plus nous devenons habiles et cela devient facile. En fait, mieux gérer nos émotions ne veut donc pas dire ne pas en ressentir, mais plutôt agir à trois niveaux.

### AGIR À TROIS NIVEAUX

Un être humain, par définition, ressent des émotions. Mieux les gérer signifie simplement réduire leur **intensité**, leur **durée** et leur **fréquence**.

- **Intensité** : Réduire l'intensité des émotions, c'est diminuer leur force en utilisant une échelle graduée de 0 à 10. Par exemple, une personne qui ressent habituellement de la colère d'une intensité de 9 (selon ses critères subjectifs) pourrait, par une meilleure gestion de ses émotions, réduire l'intensité de sa colère à 4. L'objectif n'est pas de descendre à 0, mais plutôt d'amoindrir l'émotion pour être en mesure d'agir de manière plus adéquate, appropriée et efficace. Lorsqu'une personne éprouve une colère de force 9, elle peut dire ou faire des choses qui dépasseront sa pensée et qu'elle pourrait regretter. Par contre, une colère d'une intensité de 3 ou 4 permet d'entendre l'information que cette émotion renferme, de l'écouter et de maintenir la tête hors de l'eau. Ainsi, en évitant une escalade peu constructive, on peut plus facilement être crédible aux yeux des autres et être mieux compris. De la même façon, ressentir du stress au degré 8 peut s'avérer paralysant, mais si je réussis à contenir mon stress sous la valeur 5, je peux prendre des mesures pour me détendre.
- **Durée** : Diminuer la durée consiste à réduire la période de temps durant laquelle nous vivons une émotion. La réduire à quelques minutes seulement, plutôt que de l'éprouver

durant plusieurs heures en ressassant les événements. Peut-être vous est-il déjà arrivé de vous réveiller la nuit et de penser à quelqu'un qui vous cause des difficultés? J'ai pris l'habitude de demander : « En quoi est-ce utile de vous réveiller la nuit pour haïr quelqu'un, alors que cette personne dort sur ses deux oreilles, sans se soucier de vous? » Il faut savoir que nous avons la possibilité d'entretenir des pensées qui font durer les émotions désagréables. Par contre, lorsqu'on arrive à mieux gérer ses émotions, on peut en diminuer la durée. C'est un peu comme choisir d'être heureux plutôt que d'avoir raison, au lieu de laisser l'émotion nous dominer.

- **Fréquence :** Par une meilleure gestion de nos émotions négatives, il est possible d'en réduire la fréquence. On peut espérer les rendre occasionnelles plutôt que de les éprouver quotidiennement. C'est déjà beaucoup!

## Pourquoi est-ce à moi de changer?

Lorsqu'on ressent une émotion désagréable, d'autres personnes sont souvent impliquées dans la situation. D'où le réflexe de se demander : « Pourquoi serait-ce à moi de changer? » Avant d'aller plus loin, posons-nous la question suivante : « Pouvons-nous changer les autres? » Non, bien évidemment. La seule personne sur qui on peut compter pour modifier une situation désagréable, c'est soi-même! Donc, faisons-le pour nous et notre propre bien-être, car quand on ressent une émotion négative, la colère par exemple, ce n'est pas l'autre qui en souffre principalement, mais nous-même. On devient irritable, fatigué, impatient, et puis les mauvaises émotions affectent le système immunitaire. C'est donner beaucoup de pouvoir aux autres! De plus, et cela est fort intéressant, la modification de nos comportements, attitudes et réactions influence les autres. La plupart du temps, ils modifient à leur tour leurs comportements, réactions et attitudes en fonction de nos propres changements.

Brigitte avait l'habitude de s'emporter quand son fils Sébastien ne mettait pas son linge sale dans le panier. Un jour, elle comprit que son comportement ne menait à rien et ne faisait qu'envenimer sa relation avec lui. Elle décida alors de discuter calmement : « Je ne peux pas te forcer à faire ce que tu ne veux pas. Par contre, à partir d'aujourd'hui, je ne laverai que le linge sale qui se trouvera dans le panier. » Sébastien n'obéit pas davantage à sa mère, mais un matin, avant de partir pour l'école, il fut à court de bas propres. Obligé ce matin-là d'enfiler des bas sales, Sébastien comprit que sa mère avait mis ses menaces à exécution. C'est ainsi qu'il prit la décision de toujours mettre ses vêtements sales dans le panier.

Brigitte avait trouvé le moyen d'affirmer ses besoins. De plus, en modifiant son propre comportement, c'est-à-dire en arrêtant de crier pour expliquer calmement la situation, puis en s'en tenant à sa décision, elle avait incité son fils à agir différemment.

Il en va souvent ainsi : nous changeons, et les autres nous emboîtent le pas.

## Est-ce que nous devons tout accepter ?

Gérer ses émotions ne signifie pas qu'il faille tout accepter, ou ne rien dire quand une situation nous dérange. Au contraire, la gestion de nos émotions nous permet de nous respecter davantage, en nous permettant de nous exprimer plus adéquatement. Par exemple, si un enfant réplique à son parent suite à une consigne, sur un ton que celui-ci juge inapproprié, il n'a pas nécessairement à le laisser faire sans rien dire. Par contre, si cela le met dans une colère d'intensité 10, que risque-t-il de se produire ? Le parent criera et s'emportera, ce qui n'est guère adéquat, et avec cette attitude il y a peu de chances que son enfant l'écoute et le respecte davantage. Toutefois, en réalisant que même s'il n'est pas d'accord avec l'attitude de son enfant et qu'elle lui déplaît, celui-ci avait tout de même la possibilité de rouspéter (la preuve, c'est qu'il l'a fait). En entretenant ces idées, le parent n'est pas en train de tout accepter et de taire son insatisfaction, mais bien de se calmer, de conserver une certaine maîtrise émotionnelle pour pouvoir s'adresser à son enfant de manière à avoir davantage d'impact. Ce n'est pas congruent de demander à son enfant d'être poli en lui criant par la tête. Évidemment, ce comportement est rarement intentionnel, mais c'est ce qui peut se produire lorsque nous agissons sous le coup de l'émotion.

## Est-ce que j'ai raison de croire que ça fait du bien de piquer une crise de colère ?

Pour répondre à cette question, il importe de spécifier certaines informations. Tout d'abord, rappelons-nous que la colère déclenche une série de réactions chimiques et la sécrétion d'hormones, dont l'adrénaline. L'adrénaline nous prépare à nous défendre, à agir, et elle mobilise donc une grande quantité d'énergie interne. Cette énergie doit être canalisée et libérée. C'est ce qui explique que certains se sentent soulagés après avoir piqué une colère. En criant ou en frappant un oreiller par exemple, ils ont évacué le trop-plein d'énergie. En ce sens, la crise de colère peut donner l'impression qu'elle fait du bien ! Mais cette croyance est fausse, puisque lorsque nous ressentons le besoin d'évacuer l'énergie associée à la colère, nous sommes déjà en quelque sorte déclenchés, et la présence d'adrénaline, bien qu'elle nous donne de l'énergie pour nous défendre, n'est pas bonne pour la santé. Nous pouvons supporter la présence occasionnelle d'adrénaline, elle est même utile puisqu'elle nous permet de nous adapter, mais si nous nous mettons en colère trop souvent, la grande quantité d'adrénaline sécrétée dans le sang qui en résulte épuise le corps, en plus d'affaiblir le système immunitaire qui sert à nous protéger contre les infections et les bactéries. Nous devenons plus vulnérables et sujets à attraper des maladies. Alors, lorsque nous ressentons une colère très intense, c'est que la vague nous a renversés. L'émotion a pris le dessus, et il y a une grande quantité d'adrénaline en nous, ce qui nous donne l'impression d'avoir beaucoup d'énergie à déployer. Il nous fera effectivement du bien de la libérer. Par contre, gardons en mémoire que nous avons avantage à éviter cet état. En plus des impacts négatifs réels sur notre santé physique, ressentir de la colère à une forte intensité affecte inévitablement notre comportement, qui sera à coup sûr moins approprié et moins efficace. Par exemple, il est fréquent, sous le coup de la colère, de dire ou de faire des choses qui dépassent notre pensée et qu'on peut regretter par la suite. Il y a des insultes qu'on peut lancer lorsque l'on est en colère qui sont difficiles à pardonner. Ainsi, le prix d'une crise de colère peut être élevé selon les conséquences encourues.

## TRUCS POUR MIEUX GÉRER LES ÉMOTIONS DÉSAGRÉABLES

### Quels sont vos trucs actuels ?

Quels sont les **moyens efficaces** que vous utilisez déjà, afin de mieux gérer les émotions désagréables que vous ressentez, et qui fonctionnent ?

Il est intéressant de partager nos trucs avec les gens de notre entourage, cela nous permet d'être créatifs, mais surtout d'avoir plus d'un tour dans notre sac quand les émotions négatives se font sentir ! Pour ma part, un des meilleurs trucs que je connaisse et qui m'est fort utile est le suivant : lorsque je vis du stress, je prends un temps d'arrêt et me remémore toutes les choses pour lesquelles je suis reconnaissante dans ma vie. (Nous aborderons d'ailleurs ce sujet dans le prochain chapitre sur la reconnaissance.) Cela m'aide à diminuer mon stress et à reprendre le contrôle de mon émotion.

**Trucs**

_____

_____

_____

_____

_____

_____

_____

_____

_____

### D'autres suggestions

Peut-être avez-vous inscrit dans votre liste : « Prendre le temps de respirer. » Si oui, c'est une bonne nouvelle ; sinon, je vous encourage à l'inscrire sur-le-champ et à développer cette excellente habitude. Puisqu'il est démontré que, lorsque nous ressentons des émotions désagréables à de fortes intensités, il se produit dans notre cerveau un « déficit cognitif », c'est-à-dire que ces émotions ne permettent plus aux informations de circuler normalement entre le cortex (région du cerveau qui traite l'information, qui réfléchit, analyse, etc.) et le cerveau limbique (région responsable des émotions). Les capacités de réflexion et d'analyse en sont alors altérées. Or, un jugement éclairé dépend, entre autres choses, de l'efficacité avec laquelle l'information circule entre le cortex et le cerveau limbique. C'est pourquoi il est fort utile, en présence d'une émotion intense, d'apprendre à bien respirer, afin de se calmer et de rétablir un fonctionnement adéquat du cerveau. La respiration profonde signale au cerveau que le temps est venu de se détendre.

Voici donc un exercice de respiration à la fois facile par son accessibilité (rapide et discret), efficace et utile, proposé par le psychiatre David Servan-Schreiber. Il s'agit de la cohérence cardiaque, une méthode révolutionnaire que nous appellerons « respirer à travers le cœur ».

## RESPIRER À TRAVERS LE CŒUR

La cohérence cardiaque est un exercice qui vise à calmer notre état intérieur qui peut être agité par des émotions désagréables comme la colère ou le stress. La présence de ces émotions se traduit concrètement par une irrégularité des battements cardiaques (le chaos). Les exercices de respiration de la cohérence cardiaque permettent de réduire la variabilité des battements du cœur et de les faire entrer en cohérence, d'où le nom de l'exercice.

Il y a en effet cohérence cardiaque quand l'alternance d'accélérations et de décélérations du rythme cardiaque est régulière. L'état de cohérence cardiaque influence les autres rythmes physiologiques. La cohérence du rythme cardiaque représente une réelle économie d'énergie pour l'organisme. Elle permet aussi au cerveau d'être plus rapide, plus précis et davantage raisonnable.

Voici comment respirer à travers notre cœur et ainsi établir la cohérence de nos battements cardiaques :

1. Tout d'abord, diriger l'attention à l'intérieur de soi et prendre deux respirations lentes et profondes. Accompagner le souffle jusqu'au bout de l'expiration, puis faire une courte pause avant la prochaine inspiration. Après 10 à 15 secondes, orienter consciemment l'attention vers la région du cœur.

2. Respirer à travers le cœur. Visualiser et sentir chaque inspiration et chaque expiration traversant la poitrine. Imaginer que l'inspiration nous nourrit d'oxygène, de paix et d'énergie ; et que l'expiration nous libère de nos toxines, souffrances, doutes, etc. Nous brancher à la sensation de chaleur ou d'expansion qui se propage dans la poitrine, l'accompagner et l'encourager en poursuivant la respiration.

3. Évoquer un sentiment de reconnaissance et de gratitude, puis laisser ce sentiment positif et agréable envahir la poitrine et prendre de plus en plus d'expansion dans le corps. Il peut s'agir de l'amour, du visage d'un enfant, d'une scène paisible ou d'un souvenir agréable. Une fois cet état d'équilibre atteint, on peut faire face à toute éventualité. Il est possible d'accéder simultanément à la sagesse du cerveau émotionnel et au raisonnement.

La cohérence cardiaque démontre qu'aussitôt que nous nous laissons distraire par des pensées négatives et des préoccupations, rapidement la cohérence diminue. Si nous nous laissons aller aux émotions désagréables, le chaos augmentera immédiatement et de manière explosive.

Retenons que lorsque nous ressentons une émotion désagréable, nous prenons deux grandes respirations et laissons la cohérence cardiaque s'installer, puis nous pensons à un moment heureux ou apaisant. Nous pouvons observer qu'une fois le calme revenu, l'esprit redevient plus clair et qu'il est possible d'avoir une perception différente de la situation.

De plus, David Servan-Schreiber précise qu'après un mois d'exercice de cette méthode (30 minutes par jour, cinq jours par semaine), le taux de DHEA, hormone de jouvence qui a la propriété de ralentir le vieillissement, augmente de 100 %. La cohérence cardiaque est donc tout indiquée pour préserver la santé physique et émotionnelle. Elle peut agir comme une police d'assurance, pour la qualité du bien-être de nos vieux jours. Certaines personnes ont peur de prendre de l'âge et voient la vieillesse d'un œil défavorable. Je crois que, puisque la vieillesse est inévitable et que nous passons tous par là, qu'on le veuille ou non, l'important est plutôt de se demander comment nous voulons vieillir. Par la suite, posons-nous cette question : « Que pouvons-nous faire pour nous assurer d'obtenir ce que nous désirons ? » Rappelons-nous que les choix que nous faisons aujourd'hui déterminent la qualité de notre vie de demain !

## Autres trucs en rafale

- Changer notre disque, notre discours intérieur (confrontation).
- Se déplacer physiquement, changer de position, ce qui peut aider à modifier notre état et notre façon de voir la situation.
- Prendre du recul, prendre la position d'un observateur ou d'un journaliste. Que dirait-il de la situation ?
- Aller faire une promenade.
- Arrêter de parler quelques minutes pour éviter que l'émotion s'aggrave.
- Faire du sport.
- Écouter de la musique inspirante.
- Appeler une personne qui nous apaise.
- Se faire une image de soi dans l'émotion désagréable, se regarder aller ! Est-ce à cela que nous voulons ressembler ?
- Écrire dans un journal tout ce qui nous passe par l'esprit.
- Écrire une lettre qu'on pourra détruire par la suite.
- Utiliser l'art : le chant, le dessin, la peinture, etc.

Je tiens à préciser que, lorsqu'on se donne des trucs pour mieux gérer les émotions désagréables, cela ne signifie pas que nous les refoulions. Tout dépend de ce qu'on en fait par la suite. Si, parce que l'intensité des émotions a diminué, nous ne faisons pas de retour constructif sur la situation, nous n'apprendrons pas à utiliser les informations cachées dans les émotions et celles-ci risquent de se reproduire. L'objectif est donc d'utiliser les différents trucs pour diminuer l'intensité de l'émotion désagréable, afin d'être en mesure de réfléchir adéquatement. Une fois l'intensité diminuée, il pourrait être utile de remplir un formulaire de confrontation et de se poser de bonnes questions au sujet de la présence de cette émotion à l'intérieur de nous.

Nous pouvons aussi remarquer que ce ne sont pas les mêmes situations qui donnent à chacun l'occasion de ressentir des émotions désagréables. Nous possédons nos propres touches sensibles, qui sont faciles à déclencher. Afin de remédier à cela, il importe de bien connaître nos éléments déclencheurs. Je vous invite donc à réfléchir aux situations qui suscitent en vous ces émotions désagréables. Ensuite, inscrivez-les dans le tableau ci-contre, à l'endroit adéquat.

Nous avons compris au début du présent chapitre que l'intelligence émotionnelle porte d'une part sur des compétences personnelles, soit la conscience de soi et la gestion de soi, et d'autre part sur des compétences sociales, soit la conscience des autres et la gestion des relations. Il est évident qu'après avoir appris à gérer nos émotions adéquatement, il convient de s'outiller afin de gérer nos relations avec les autres. Lorsque nous parlons de développer notre **plein potentiel,** nous ne pouvons passer sous silence que la qualité des relations que nous entretenons avec autrui aide à construire une vie agréable, tant au niveau personnel que professionnel. Qui ne rêve pas d'une relation amoureuse harmonieuse, d'une vie de famille construite autour de l'amour et du respect, d'amitiés authentiques, de relations de travail agréables et enrichissantes ? Tout cela est possible si nous prenons conscience de certains éléments importants concernant nos relations.

# Tableau résumé
## Mieux gérer les émotions désagréables

| 1. | Identifiez quelques situations où vous avez ressenti des émotions désagréables : |
|---|---|
| 2. | Certains événements ou personnes vous fournissent-ils des occasions de ressentir davantage d'émotions désagréables ? <br><br> Si oui, pourriez-vous réagir différemment si ces situations se présentaient de nouveau ? |
| 3. | Prendre le temps de se calmer physiquement, en respirant, en allant marcher, en se changeant les idées ! Se rappeler que l'on ne peut changer les autres ; notre pouvoir réel n'est que sur nous-même ! |
| 4. | Reconnaître et identifier les signes des émotions désagréables. Comment vous sentez-vous ? Qu'est-ce que vous vous dites ? |
| 5. | Après avoir bien respiré, remettre en question vos idées irréalistes à l'aide du formulaire de confrontation. |

# 4 La conscience des autres

*Si je ressens des émotions, les autres aussi en ressentent ! Donc, pour développer notre intelligence émotionnelle, éveiller notre plein potentiel et améliorer nos compétences sociales, nous gagnerons à être à l'écoute des informations que les autres nous transmettent malgré eux, pour ensuite les utiliser efficacement ! Apprenons à déceler les signes physiques de la présence d'une émotion chez les autres en notant tout changement dans la physiologie ou la morphologie (posture), et utilisons ces informations pour ajuster notre réaction et notre comportement. Par exemple, si je me dirige vers le bureau d'une collègue de travail afin de lui poser une question, et que je l'aperçois en train de parler au téléphone, le visage rouge, les mains agitées et les sourcils froncés, je peux lire dans ces différents signes physiques qu'elle est irritée et qu'il vaut mieux revenir plus tard. Plus nous observons les gens de notre entourage, plus nous devenons habile à découvrir les indices et les signes physiques de leurs émotions. Ces signes varient évidemment d'une personne à l'autre. Soyons donc vigilant !*

## L'EMPATHIE : UNE OUVERTURE À L'AUTRE

Si nous reprenons la définition de l'empathie proposée en début du chapitre, c'est-à-dire la capacité de percevoir et de sentir les émotions des autres, de comprendre leurs points de vue et de s'intéresser à leurs préoccupations, nous pouvons parler d'une sorte de **communication affective** avec autrui. Cette communication affective, à la base de notre compréhension des autres, se développe tôt dans l'enfance. En effet, les enfants, même les petits, apprennent à décoder et à lire les soucis, les inquiétudes et les joies sur le visage de leurs parents (*Petit Larousse de la psychologie*). Ainsi, selon Goleman, nos premières leçons d'empathie remonteraient à l'enfance, quand nos parents nous tenaient dans leurs bras. Il apparaît, toujours selon Goleman, que les gens qui ont été élevés dans un extrême isolement social ont une aptitude réduite à déchiffrer les émotions d'autrui, parce qu'ils n'ont jamais appris à prêter attention à ce type de message. Par exemple, lorsque nous voyons un visage triste, nous ressentons une émotion similaire par un mécanisme naturel, inconscient, et qui semble contrôlé par les zones les plus primitives du cerveau. L'empathie serait aussi cette capacité à *contacter* l'espace émotionnel d'autrui, ce qui dépendrait de notre capacité à nous régler à l'allure, à imiter la position et les expressions du visage de l'autre. Ainsi, en exécutant ce mimétisme corporel, nous pouvons commencer à nous imprégner du climat émotionnel qui habite autrui et à ressentir davantage ses émotions.

## Décomposer l'empathie

L'empathie comprend différentes habiletés, dont voici les principales :

**1. Aller à la découverte des autres** en s'efforçant de deviner ce qu'ils ressentent, de comprendre leur point de vue et de s'intéresser à leurs préoccupations. Il s'agit de vouloir vraiment comprendre leur vision du monde, leurs perceptions, idées, croyances, valeurs, etc. Pour y arriver, nous devons être à l'écoute des langages verbal et corporel. Rappelons-nous que le langage du corps est celui qui parle le plus fort et auquel nous devons nous référer davantage. Apprenons donc à porter une attention particulière aux indices révélés par les cinq pôles du langage non verbal : l'angle du corps, le visage, les bras, les jambes et les mains. Afin de conclure d'une impression favorable ou défavorable concernant le langage non verbal, nous devons utiliser plusieurs indices, provenant des différents pôles, plutôt qu'un seul indice isolé. Une fois que nous avons l'impression d'avoir bien compris ce qu'une personne ressent, un autre aspect essentiel de l'empathie est de communiquer cette perception à l'autre. Cela nous permet de valider notre compréhension. La personne peut alors confirmer si nous avons bien compris ou non et apporter des précisions au besoin.

**2. Être serviable** en développant la capacité d'anticiper, de reconnaître et de satisfaire les besoins des autres. Évidemment, il ne s'agit pas d'être à la merci des autres, mais de développer notre réflexe d'apporter notre aide et soutien lorsque notre conscience des autres nous dit qu'il y a un besoin à cet effet.

**3. Contribuer à la croissance des autres** en encourageant leurs forces et en les aidant à corriger leurs faiblesses. Rappelons-nous qu'il est beaucoup plus efficace d'utiliser les forces d'une personne que de miser sur le développement des points faibles. La force est déjà présente, prête à être utilisée. Lorsqu'un individu exploite l'une de ses forces, il performe davantage, en plus d'être motivé, confiant et épanoui. Habituons-nous à devenir des chercheurs de talents; nous découvrirons des richesses. Ce principe peut être d'un grand secours dans la répartition des tâches ménagères !

**4. Utiliser les avantages qu'apportent les différences** (individuelles, sociales, familiales, culturelles, etc.) en choisissant de s'enrichir des visions du monde de chacun. Il s'agit pour cela d'apprendre à développer le respect et la tolérance à la diversité en misant sur les opportunités qu'elle renferme, c'est-à-dire la possibilité d'élargir nos connaissances, de nous améliorer, de grandir et d'évoluer en tant qu'individu.

## À retenir pour développer l'empathie

Voici des éléments importants pour développer l'empathie.

- Éviter les distractions, manifester de la patience et du calme.
- Laisser à l'autre l'occasion de parler, de s'exprimer.
- Mettre de côté nos propres émotions et notre perception (idées, croyances, valeurs, préjugés).
- Laisser la personne aller au bout de ses idées.
- Se mettre à la place de l'autre, accéder à son univers, percevoir ses émotions et sentiments, comprendre ce qu'il vit et ressent.

- Capter la vision du monde de l'autre, sa façon de voir les choses et la vie.
- Poser des questions pour préciser notre compréhension et démontrer notre intérêt.
- Communiquer notre compréhension pour la valider auprès de la personne concernée.

*L'empathie est une manière d'être avec l'autre qui permet de saisir ses nuances et de reconnaître son unicité !*

## LE TRAVAIL D'ÉQUIPE

*L'analogie avec la nage synchronisée illustre bien l'essence du travail d'équipe où les membres sont interdépendants et où le résultat dépend de l'implication de chacun.*

La capacité à travailler en équipe est une aptitude essentielle à l'acquisition d'une intelligence interpersonnelle véritable et au développement des compétences sociales. Qu'entendons-nous exactement par travail d'équipe ? Tout d'abord, une équipe est composée de deux individus ou plus, qui interagissent de façon interdépendante, dans le but d'atteindre un objectif commun. Par exemple, un couple est une équipe ; les deux conjoints en sont les membres interdépendants, leurs forces se complètent et ils ont le but d'atteindre l'objectif commun de développer un amour durable et une relation harmonieuse. Il en va de même pour une famille, un groupe d'amis ou des collègues de travail. Ainsi, les principes et les notions présentés s'appliqueront tout autant à la vie personnelle, familiale et professionnelle.

Tout d'abord, la formation d'une équipe passe par différents stades que John Whitmore décrit en **trois phases.**

La première phase est le stade initial de l'équipe, l'**inclusion.** À ce stade, les besoins individuels des membres sont leur priorité. Ceux-ci cherchent à s'intégrer et à se sentir acceptés au sein de l'équipe. Si l'un des membres vit un succès ou un échec, il sera peu partagé entre les membres.

La deuxième phase est le stade de transition, ou l'**affirmation.** Chacun des membres tente de définir sa place et son rôle au sein de l'équipe. Cette phase permet de découvrir les forces de chacun et de les mettre à profit pour le bénéfice de l'équipe.

La dernière phase est la **coopération**. À ce stade, l'équipe est composée de personnes accomplies et performantes. Les forces de chacun sont mises à contribution et permettent de contrebalancer les faiblesses. Les membres sont solidaires et se soutiennent mutuellement. Ils se réjouissent ensemble du succès de chacun. Ainsi, l'esprit d'équipe ne se crée pas par magie, de façon instantanée ou automatique. Il faut laisser le temps aux membres de passer par les différentes phases décrites ci-dessus, de s'adapter les uns aux autres. On a aussi démontré qu'on peut atteindre une efficacité exceptionnelle au sein de l'équipe (n'oubliez pas que l'équipe peut être votre couple) en développant les qualités suivantes :

- Entraide – aptitude à coopérer
- Confiance – adaptabilité
- Patience – cordialité
- Engagement – courage
- Humour – enthousiasme
- Compatibilité d'humeur – altruisme

De plus, nous verrons qu'il existe certaines conditions favorables au développement d'un esprit d'équipe solide et véritable, nécessaire à un travail de qualité.

À cet effet, Patrick Lencioni définit une équipe comme un petit nombre de personnes ayant des **compétences complémentaires,** des objectifs de performance et des méthodes de travail dont ils sont **mutuellement responsables,** et qui **s'engagent** vers un même but.

## Conditions favorables au travail d'équipe

Selon Lencioni, cinq conditions sont favorables au travail d'équipe.

### 1. La confiance
La confiance au sein d'une équipe se traduit par le sentiment ressenti par les membres, qui peuvent se montrer vulnérables les uns face aux

autres. La confiance au sein d'une équipe permet par exemple à une personne de demander de l'aide pour une tâche qu'elle n'arrive pas à faire seule, tout en se sentant protégée et rassurée, parce que les autres membres veulent son bien. Les membres d'une équipe qui se font confiance sont en mesure d'identifier leurs faiblesses et leurs erreurs. Ils acceptent qu'on leur pose des questions et qu'on leur fasse des commentaires constructifs. Ils apprécient les forces de chacun, offrent et acceptent des excuses sans hésitation, et ils aiment et apprécient la présence des autres membres. Ces attitudes sont aussi importantes pour assurer la survie d'un couple.

## 2. La saine confrontation

La saine confrontation consiste en la capacité des individus, parce qu'ils ressentent une confiance mutuelle, d'exprimer leurs idées et d'en débattre ouvertement. Les membres d'une équipe qui ont de saines confrontations ont des échanges intéressants et animés, ils ont accès aux idées de tous, trouvent des pistes de solutions plus rapidement. Cela est plus adéquat que de faire croire qu'ils sont d'accord, alors qu'ils ne le sont pas, de peur de créer une confrontation, ce qui donne une fausse impression d'harmonie. Autant dans la vie conjugale que professionnelle, il est important d'utiliser la saine confrontation.

## 3. L'engagement

Les membres d'une équipe qui s'engagent sont en mesure de définir des procédures et d'établir les priorités. Ils s'entendent autour d'objectifs communs, tout en développant l'habitude de tirer des enseignements de leurs erreurs. Ils vont de l'avant en se remettant en question constamment, tant au niveau de l'équipe que des individus. Ils ressentent un fort sentiment d'appartenance à leur équipe, qui joue sur le plan de leur identité.

## 4. La responsabilisation

Sur le plan professionnel, les individus qui se sentent responsables s'interrogent et s'intéressent à leurs pairs dont le rendement est plus faible, de manière à les aider et à ne pas laisser leur attitude nuire à l'équipe ou la détourner des objectifs. Ils déterminent rapidement les problèmes en remettant en question leurs différentes perceptions. Ils arrivent à instaurer un climat respectueux.

Dans la relation amoureuse, la responsabilisation est d'autant plus importante que le respect est un des éléments de base d'une vie de couple réussie. Le fait de déceler rapidement les problèmes nous permet de les régler, plutôt que de les balayer sous le tapis.

### 5. L'attention portée aux objectifs

La concentration sur les objectifs permet de maintenir la motivation des membres et d'éviter l'individualisation. Les besoins de l'équipe sont prioritaires. Ainsi, lorsque l'expérience que nous vivons au sein d'une équipe se révèle insatisfaisante et désagréable, dans la vie personnelle ou professionnelle, il importe d'identifier la ou les conditions qui font défaut, puis de trouver des solutions constructives.

## Réflexion sur le travail d'équipe

Pensez à une situation de votre quotidien où vous avez à travailler en équipe (l'équipe peut être votre milieu de travail, votre cercle social, votre famille, votre couple, etc.) et réfléchissez-y en répondant aux questions suivantes :

1. Quel est l'aspect de l'équipe que vous préférez ? Pourquoi ?

   _____

   _____

   _____

2. Qu'aimez-vous le moins dans l'équipe ?

   _____

   _____

   _____

   _____

3. Qu'est-ce qui pourrait rendre plus plaisant l'aspect le moins attrayant de l'équipe ?

   _____

   _____

   _____

   _____

4. En quoi apportez-vous une contribution positive à l'équipe ?

_____

_____

_____

_____

Je vous invite à revenir régulièrement à ces questions et à noter la date de vos réponses, afin d'observer les changements dans le temps.

## Les caractéristiques d'une équipe efficace

- Tout le monde regarde dans la même direction et poursuit les mêmes objectifs.
- Les objectifs sont clairement définis.
- Les conflits sont gérés de façon constructive au fur et à mesure qu'ils se présentent.
- Les différentes opinions sont valorisées et utilisées pour progresser.
- Les tâches et les rôles sont répartis équitablement.
- Il règne un climat axé sur la confiance, la saine confrontation, l'engagement, la responsabilisation et l'atteinte des objectifs.
- L'évaluation des progrès se fait sur une base régulière.
- Les décisions sont discutées par tous.

### L'histoire de Louis

Il y a plusieurs années, j'ai eu la chance de connaître un homme dénommé Louis-Jean. Sans le savoir, j'avais sûrement attiré dans ma vie cette personne si compatible avec moi. D'ailleurs, Louis-Jean allait devenir mon partenaire de vie quelques mois plus tard. Un des éléments les plus importants de notre couple est le fait que nous tentons de miser chacun sur nos forces. Louis-Jean me dit souvent : « Nous sommes une équipe du tonnerre, nous sommes meilleurs à deux. » Après quelques années de vie commune, nous avons eu l'occasion de travailler ensemble et de devenir partenaires d'affaires. Encore une fois, j'ai réalisé que le fait d'être deux nous permettait d'exploiter nos forces respectives, qui sont très différentes.

Quand on parle de développer son plein potentiel, il est important de comprendre que les autres peuvent combler certains de nos points à améliorer. Par exemple, les couples qui élèvent des enfants ont avantage à miser sur leurs forces respectives. Le père qui est plus patient que son épouse peut décider de faire les devoirs avec les enfants, alors que la mère peut exceller dans l'art d'être créative pour amuser les enfants. Miser sur les forces de chacun vous aide à être plus heureux et à former une équipe du tonnerre.

*Le travail d'équipe regorge de notions et de concepts importants, dont le respect, la confiance, la responsabilisation, l'engagement, les objectifs, la coopération, les forces complémentaires. Il repose en partie sur la capacité de chacun à reconnaître et à répondre aux besoins des autres membres de l'équipe.*

# 5 La gestion des relations

La gestion des relations est la quatrième catégorie de compétences associées à l'intelligence émotionnelle. Comprise dans les compétences sociales, elle représente un aspect important de l'intelligence interpersonnelle. Nous avons vu que les différentes aptitudes rattachées à la gestion des relations sont principalement le leadership inspirant, l'influence, le développement des autres, le catalyseur de changement, la communication et la gestion des conflits. Nous verrons dans cette section des moyens simples et efficaces d'améliorer la gestion de nos relations.

## SOYONS STRATÉGIQUES

Il n'est pas rare, lorsque nous parlons des relations, d'entendre certaines personnes dire qu'elles sont parfois une sorte de jeu. Effectivement, en raison des interactions continuelles entre les personnes impliquées, on peut faire un parallèle avec un *jeu stratégique*. C'est-à-dire que les coups joués ont une influence sur le déroulement du jeu. On peut aussi comparer les relations à une danse, où chacun doit s'ajuster aux pas de l'autre. D'ailleurs, lorsque nous vivons une situation difficile avec une ou plusieurs personnes, nous répétons souvent les mêmes pas de danse qui continuent malgré tout à donner des résultats insatisfaisants. Voici un exemple simple, cocasse mais concret, permettant d'illustrer ce concept de danse au niveau des relations interpersonnelles. Il s'agit d'une femme, mariée depuis plus de vingt ans. Les premières années de leur mariage, elle demandait à son mari d'une voix douce : « S'il te plaît, chéri, mettrais-tu ta vaisselle sale dans le lave-vaisselle ? » Même si elle s'adressait à lui avec respect et politesse, il ne faisait jamais ce qu'elle lui demandait. Les années passèrent et elle lui demandait toujours la même chose, mais sa voix devint plus sèche, plus impatiente. Aujourd'hui, elle crie, mais il ne met pas davantage sa vaisselle dans la machine. Cette femme a de bonnes intentions, par contre, tout ce qu'elle a fait pendant vingt ans, c'est de hausser le ton, sans obtenir le résultat qu'elle désirait. Il est fréquent que nous nous escrimions à répéter sans cesse le même comportement inadéquat, en espérant des résultats, ce qui est tout à fait illogique. C'est comme si on préparait un mélange de gâteau au chocolat chaque semaine depuis des années, et qu'on espérait obtenir un jour un gâteau à la vanille. Or, pour produire un nouveau gâteau, on doit changer la recette, ce que nous appelons « changer la stratégie ». J'aime bien raconter à ce sujet l'anecdote de la mouche.

### L'anecdote de la mouche

D'abord, sachez que je suis réputée pour me déguiser en mouche lors de mes conférences. Cela m'a d'ailleurs valu le surnom de Stéphanie-La-Mouche... Comme c'est flatteur !

Plus sérieusement, avez-vous déjà remarqué ce que fait une mouche lorsqu'elle s'introduit dans une maison ? Elle vole jusqu'à la fenêtre la plus proche et s'y cogne sans arrêt. *Bizz... pock... bizz... pock... bizz... pock...*, et ainsi de suite, jusqu'au moment où elle tombe raide morte. La mouche est trop mouche, donc pas assez intelligente pour comprendre, après dix, vingt, cent tentatives infructueuses qu'il s'agit d'une stratégie inefficace et qu'elle aurait avantage à la changer, par exemple en essayant de ressortir par une porte. Parfois, les humains se comportent de cette façon : ils espèrent des résultats différents en utilisant les mêmes stratégies. Or, sur le plan des relations interpersonnelles, il faut apprendre à user de stratégie.

Pour ce faire, nous devons analyser nos danses et modifier nos pas au besoin, afin d'obtenir des résultats différents. Le principe est que, dans les relations, nous sommes continuellement en réaction aux comportements et attitudes ; nous nous adaptons sans cesse aux autres, à leurs pas de danse. Ainsi, lorsque nous changeons nos pas, nous ne connaissons pas à l'avance la réaction de l'autre, mais il est certain qu'il s'y ajustera. Ce principe nous permet de comprendre le réel pouvoir dont chacun dispose quant à la capacité de changer certaines choses sur le plan des relations. En se changeant soi-même, c'est-à-dire en adoptant des comportements nouveaux et différents, nous forçons l'autre à réagir et à s'ajuster à ceux-ci.

Dans l'exemple du lave-vaisselle, la danse semble s'être manifestée de la façon suivante: plus la femme criait après son mari, moins il avait envie de ranger sa vaisselle. Moins il avait envie de ranger sa vaisselle, plus elle criait, et ainsi de suite. Aussi, pour gagner en efficacité, importe-t-il d'abord de changer nos pas de danse, mais aussi d'être créatif et original. Par exemple, plutôt que de crier, cette femme aurait pu simplement cesser de laver la vaisselle, jusqu'à ce que cela fasse réagir le mari. Le principe est de surprendre l'autre par une approche différente, quand la première stratégie ne fonctionne pas.

En résumé:

Premier principe: **identifions les stratégies efficaces.**
Deuxième principe: **continuons à les employer.**
Troisième principe: **changeons nos stratégies inefficaces.**

## MODIFIER NOTRE PERCEPTION DES PERSONNES DIFFICILES

Même si nous sommes très outillé pour les relations et que nous maîtrisons les notions rattachées aux concepts de danses et de stratégies, il arrive que nous ayons affaire à une personne réellement difficile pour nous. Je dis «difficile pour nous», car nous savons que tout est une question de perception: une personne peut être difficile pour l'un, mais facile pour l'autre. Lorsque nous vivons un conflit avec une personne plus ou moins importante pour nous, par exemple un voisin ou une collègue, il peut être possible d'éliminer le conflit en mettant fin à la relation. Par contre, cette option n'est pas toujours possible. Par exemple, si nous aimons notre conjoint mais que notre relation avec son fils est mauvaise, nous ne voudrons certainement pas rompre les amarres pour autant. Dans un autre ordre d'idée, nous ne serions peut-être pas prêt à abandonner notre travail en raison d'un conflit avec notre patron. Parfois, nous devons donc développer des trucs pour composer avec ces personnes qui sont difficiles pour nous.

Puisque les émotions agréables ou désagréables que nous ressentons face à une personne dépendent, entre autres, de notre perception, c'est-à-dire de notre disque intérieur, afin de modifier notre ressenti, il nous faudra trouver une façon de modifier celui-ci. Rappelons-nous que les différences de valeurs causent fréquemment des émotions désagréables. Toutefois, ce n'est pas parce que ce sont nos valeurs que tout le monde doit s'y conformer. Afin d'arriver à changer notre disque, il importe d'abord de faire preuve d'empathie pour arriver à saisir et à comprendre les raisons qui poussent certaines personnes à agir différemment de nous. Nous appelons cela la « recherche de l'intention positive ». L'idée est que, lorsqu'une personne se comporte d'une certaine façon, c'est qu'elle a une bonne raison de le faire. Ainsi, pour nous aider à modifier notre disque, nous avons avantage à découvrir les motivations des autres. Par exemple, il est plus facile d'être patient avec un enfant turbulent si nous savons qu'il a besoin d'attention. Il est démontré que, peu importe la façon dont se comporte un être humain, au moment où il agit, avec les idées et les émotions qu'il possède, il lui est impossible d'agir autrement. De plus, en tout temps, l'être humain se comporte de manière à satisfaire ses intentions positives personnelles. Par exemple, une personne qui crie peut chercher à se faire respecter et à s'exprimer. Toutefois, il est possible que la personne utilise des moyens inappropriés pour satisfaire ses intentions positives, d'où l'importance de les comprendre pour ensuite les modifier et les rendre plus adéquats. En comprenant la notion d'intention positive, il est plus facile de se dire qu'en tout temps une personne fait de son mieux avec les idées et les émotions qu'elle éprouve à ce moment-là. Par exemple, couper sans cesse la parole lors d'une conversation est un comportement inacceptable pour la majorité, toutefois, pour quelqu'un à qui on ne donnait jamais la parole lorsqu'il était enfant, c'est peut-être la seule manière qu'il ait trouvée pour se faire entendre. Cette personne fait de son mieux avec ses ressources et ses apprentissages. Dans l'encadré qui suit, je vous propose quelques idées favorables et réalistes à entretenir concernant les personnes difficiles de votre entourage, dans le but de vous aider à changer votre disque.

| | |
|---|---|
| 1. | Quelles sont les intentions positives (motivations qui visent à satisfaire des besoins) de cette personne ? |
| 2. | Cette personne, avec ses idées, émotions, apprentissages et ressources, fait du mieux qu'elle peut ! |
| 3. | Pour le moment, c'est ce que je peux espérer de mieux ! |
| 4. | Quelque chose est bien dans cette situation, mais quoi ? Que puis-je apprendre de cette situation ! |

## COMMENT UTILISER LES SITUATIONS MOINS FACILES POUR ÉVEILLER NOTRE PLEIN POTENTIEL

Connaissez-vous quelqu'un qui possède une machine à remonter le temps ? Évidemment, la réponse est non, à moins que vous ne soyez un petit cachottier et que vous ayez gardé votre idée secrète ! Je blague, mais de façon réaliste ce qui est passé est passé et nous ne pouvons pas le changer. Par contre, nous pouvons apprendre à utiliser notre passé pour nous améliorer, pour éveiller notre plein potentiel et nous assurer un meilleur futur. De plus, il est possible de changer la perception négative que nous pouvons avoir de notre passé, ce qui est habituellement suffisant pour nous en libérer et nous permettre d'avancer.

Être en relation avec les autres, c'est l'occasion d'éprouver à la fois de la joie, du plaisir et du bonheur, mais il est aussi possible, malgré les meilleures intentions, que certaines situations se compliquent et soient plus difficilement vécues. De même qu'il peut nous arriver de regretter de nous être comporté d'une certaine façon. Toutefois, nous savons que la culpabilité ne sert à rien, puisque nous ne pouvons pas changer le passé, il est donc préférable dans ces cas-là d'apprendre à nous responsabiliser, en utilisant le pouvoir du recul et en nous posant quelques bonnes questions qui nous orienteront vers des solutions. Le pouvoir du recul consiste à adopter une position dissociée, c'est-à-dire, par exemple, à faire comme si nous étions dans une salle de cinéma et que nous regardions l'écran. Nous pouvons alors reculer le film juste avant la situation qui s'est déroulée difficilement avec la personne et le redémarrer pour avoir une vision détachée de nous-même et ainsi pouvoir nous analyser et comprendre davantage ce qui s'est passé. Voici des questions très utiles qui nous aident à nous élever au-dessus des situations difficiles pour en sortir gagnant et grandi.

| | |
|---|---|
| 1. | Grâce à cette situation difficile, qu'ai-je appris sur moi, sur l'autre et sur la relation ? |
| 2. | Quelles étaient mes motivations à agir comme je l'ai fait ? Quelles étaient les motivations des autres ? |
| 3. | En quoi cette situation contribuera à faire de moi une meilleure personne ? |
| 4. | Comment vais-je agir à l'avenir ? |

*Il est intéressant de noter les réponses à ces questions dans notre journal personnel, afin d'avoir un suivi tangible de notre évolution personnelle !*

## Tableau résumé
## Réagir à la colère des autres

| | |
|---|---|
| 1. | Ayez l'intention de rester maître de vous : même si ce n'est pas agréable, ce n'est pas la fin du monde ! Vous possédez toutes les ressources pour affronter ces situations de manière appropriée. |
| 2. | Ne modifiez pas constamment votre comportement ou vos attitudes pour ne pas déranger les autres ou pour leur plaire. Quoi que vous fassiez, il est toujours possible que quelqu'un se fâche contre vous, même si vous avez agi correctement, selon votre perception. |
| 3. | Portez une attention particulière à la manière dont vous répondez à la colère des autres. Ignorez-les lorsqu'ils vous crient à la figure, mais soyez attentif lorsqu'ils vous parlent raisonnablement. |
| 4. | Tentez de rester calme. Évitez de répondre à l'agressivité par l'agressivité. Prononcez des paroles telles que : « Je suis désolé que ça n'aille pas. Puis-je faire quelque chose ? » |
| 5. | Ne soyez pas déconcerté, mais dites : « S'il te plaît, parle-moi calmement. » |
| 6. | Quand l'accusation contient une part de vérité, admettez vos torts. Vous n'êtes pas obligé d'avoir tout le temps raison ! Vous pouvez simplement dire : « C'est vrai, j'ai eu tort, et j'en suis désolé. » |

Source : Milot, 2005.

Les personnes intéressées peuvent lire le chapitre 6 sur la colère, de mon livre *Émotion quand tu nous tiens*.

# Conclusion

Lorsque j'étais enfant, j'ai pratiqué le patinage artistique pendant huit ans. Je me rappellerai toujours la fierté de mes parents quand je remportais une médaille ou lorsque je passais avec succès à un échelon supérieur. Mes parents m'ont toujours encouragée et soutenue dans cette belle aventure. Ils devaient souvent se lever à cinq heures du matin, le dimanche, pour m'emmener aux séances d'entraînement. Ce que je me rappelle le mieux, c'est le jour où j'ai eu treize ans. À ce moment-là, j'en ai eu assez du patinage. Je savais toutefois que mes parents seraient sans doute déçus de me voir abandonner ce merveilleux sport. Ils nourrissaient de grands espoirs à mon égard, peut-être rêvaient-ils de me voir aux Jeux olympiques ! Et moi, du jour au lendemain, je décidais de mettre fin à cela. Pourtant, le fameux jour où je leur ai fait part de ma décision, mes parents m'ont dit : « Si tu n'es plus heureuse, nous respectons ton choix. Nous voulons ton bonheur avant tout. » J'ai compris une fois de plus ce qu'est l'amour inconditionnel. Mes parents ont sans doute été déçus, mais ils ne me l'ont pas fait sentir. Ils voulaient que je sois heureuse et c'est ce qui comptait le plus pour eux. Cela passait avant leurs propres besoins.

Pourquoi est-ce que je vous parle de cet épisode de ma vie ? Parce que, depuis le début de cette première partie, nous avons parlé de l'importance de développer son intelligence émotionnelle. Et je sais que l'attitude de mes parents, dans diverses situations, m'a aidée à être la personne que je suis. Qu'en est-il de vous ? Avez-vous eu le privilège d'évoluer dans une famille équilibrée ? Avez-vous eu la chance de côtoyer des gens qui vous ont aidé à développer votre intelligence émotionnelle ? Si oui, ces concepts seront simples à utiliser pour vous. Par contre, je sais que d'autres n'ont pas eu ce privilège. Certains viennent d'une famille dysfonction-nelle et ont vécu des situations difficiles. Une des questions qu'on me pose le plus souvent est la suivante : « Est-il possible de faire la coupure avec son passé et d'atteindre son plein potentiel même si on a évolué dans un milieu dysfonctionnel ? » Eh bien, la réponse est oui. Le chemin sera peut-être plus long et plus ardu, mais tout est possible. Je vous invite à mettre en pratique les outils que vous avez reçus, car la simple lecture d'un livre ne nous est d'aucune utilité si nous retombons dans nos anciens comportements nocifs à la première occasion.

Je vous invite maintenant à étudier avec moi un autre des élé-ments essentiels du développement de notre **plein potentiel** : la reconnaissance.

# DEUXIÈME PARTIE

## Le pouvoir insoupçonné de la reconnaissance

*Je commencerai réellement à profiter de la vie lorsque je serai à la retraite, c'est-à-dire dans une dizaine d'années! Une fois que les enfants auront quitté la maison, nous pourrons enfin nous retrouver en tant que couple et nous sentir libres! J'ai hâte aux vacances, j'aurai du temps pour me relaxer et prendre soin de moi! Quand la maison sera payée totalement, je me sentirai fière, pas avant!*

Quel point commun unit les affirmations précédentes? Ces personnes sont toutes orientées vers le futur. Elles se promettent des émotions positives, mais à certaines conditions. Elles entretiennent l'idée que quand ceci ou cela arrivera, enfin elles pourront atteindre un bien-être quelconque. Vous êtes-vous reconnu dans l'une ou l'autre de ces affirmations? Avez-vous cru entendre parler quelqu'un de votre entourage? Si oui, vous pouvez quand même vous réjouir, puisqu'il nous est possible de ressentir des émotions positives dans le présent, même si nos buts, objectifs ou souhaits ne sont pas encore totalement réalisés. Il s'agit simplement de manifester de la reconnaissance pour ce que nous possédons déjà! L'idée n'est pas de ne plus rêver et de ne plus nous projeter dans le futur. Au contraire, l'orientation vers le futur est très utile pour la planification et elle fournit une importante ligne directrice au cerveau. La difficulté réside dans le fait que lorsque nous pensons à tout ce que nous n'avons pas encore, nous pouvons éprouver des émotions désagréables.

Le découragement, les appréhensions et l'envie sont des émotions que nous sommes susceptible de ressentir quand nous nous focalisons sur ce que nous ne possédons pas encore. De plus, lorsque nous adoptons cette vision des choses, nous oublions tout ce que nous possédons déjà et qui devrait nous réjouir. Ainsi, une des solutions semble résider dans une plus grande expression de l'émotion de plénitude : la reconnaissance. Je vous propose donc dans ce chapitre une exploration nous permettant de mieux saisir la reconnaissance, ce concept d'une grande richesse.

*La reconnaissance est la mémoire du cœur.*
HANS CHRISTIAN ANDERSEN

**Comment transformer les affirmations suivantes pour qu'elles soient davantage orientées vers la reconnaissance ?**

Je commencerai réellement à profiter de la vie lorsque je serai à la retraite, c'est-à-dire dans une dizaine d'années !

_____

_____

Exemple : *Je peux déjà profiter du fait d'être en vie, en bonne santé, et d'avoir un travail !*

Une fois que les enfants auront quitté la maison, nous pourrons enfin nous retrouver en tant que couple et nous sentir libres !

_____

_____

Exemple : *Comment pouvons-nous déjà commencer à nous retrouver en tant que couple ? Je suis heureux de voir mes enfants évoluer et se développer sous mes yeux. Que m'apprennent-ils ?*

J'ai hâte aux vacances, j'aurai du temps pour me relaxer et prendre soin de moi !

_____

_____

Exemple : *J'apprécie le fait d'avoir un travail qui me permet de prendre des vacances !*

Quand la maison sera payée totalement, je me sentirai fière, pas avant !

_____

_____

Exemple : *Je suis heureuse d'avoir une maison plutôt qu'un appartement, et je peux être fière de tout ce que j'ai déjà payé.*

Très souvent, hélas, nous attendons d'avoir un coup dur, une épreuve, pour apprécier ce que l'on a.

## L'histoire de Pierre

Il y a quelques années, après une conférence sur la reconnaissance, j'ai fait la rencontre de Pierre, un homme d'une soixantaine d'années qui m'a tout de suite semblé très serein, en paix avec lui-même. Il m'a raconté qu'il avait survécu à un accident de voiture. Trois ans auparavant, un soir de janvier, Pierre avait été heurté par un camion sur l'autoroute et avait fini sa course dans la voie inverse. À l'arrivée des ambulanciers, la scène était horrible et tout le monde croyait que Pierre était mort. Il ne l'était pas, mais sa vie ne tenait qu'à un fil. Il a passé plusieurs mois à l'hôpital et a dû réapprendre à marcher et à parler.

Quelle épreuve ! Toutefois, Pierre m'a confié que c'est la meilleure chose qui lui soit arrivée. Quelques mois avant l'accident, son épouse avait entrepris des procédures de divorce, prétextant le manque d'intérêt de Pierre envers elle. Elle avait souvent tenté de discuter avec lui, mais rien ne changeait. Elle s'était donc résignée à se séparer, malgré son chagrin. Après l'accident, cependant, elle est restée au chevet de Pierre, puis elle l'a aidé dans sa réhabilitation. De plus, leurs enfants se sont beaucoup rapprochés de leur père, ce qui a raffermi leurs liens. Il faut dire que Pierre avait travaillé fort toute sa vie. Dirigeant une grande entreprise, il quittait souvent le foyer à six heures du matin et rentrait vers neuf heures du soir. À ce rythme, il avait négligé sa vie de famille.

D'après Pierre, le destin s'était chargé de lui faire prendre conscience de ce qui importait réellement dans sa vie. À la suite de son accident, il s'est rendu compte de la chance qu'il avait d'être entouré d'une épouse aussi merveilleuse et d'enfants si attachants. Dès lors, Pierre a décidé de consacrer le plus de temps possible à sa famille. Sa relation avec sa femme s'est rétablie et il s'est mis à parler davantage avec ses deux enfants. Sans cet accident, il n'aurait jamais fait cette prise de conscience. Il m'a dit : « Chaque jour, je remercie le bon Dieu de m'avoir offert cette seconde chance. »

Des histoires comme celle de Pierre, j'en connais plusieurs. Je ne compte plus les fois où des gens m'ont dit : « Sans cette maladie, je n'aurais jamais changé ma vie » ou « Sans cet événement, je n'aurais jamais réalisé la chance que j'avais ».

Pourquoi attendons-nous toujours après quelque chose pour être heureux ? Pourquoi est-il si difficile d'apprécier la vie telle qu'elle est ?

Il y a plusieurs années, j'ai fait une croisière et nous avons fait escale à Grenade, une île si petite que le navire ne pouvait même pas y accoster. Nous avons dû prendre un plus petit bateau pour débarquer. Une fois dans l'île, nous avons décidé de faire une excursion en bus. À peine avions-nous pris place dans le véhicule que le conducteur nous dit : « Lorsque nous nous arrêterons, ne donnez rien aux enfants qui viendront vous voir. Ces enfants vivent dans une pauvreté extrême, mais vous constaterez qu'ils sont heureux. Ils apprécient ce qu'ils ont. Ils arrivent à avoir du plaisir avec à peu près n'importe quoi. Un simple bout de bois peut les amuser pendant des heures. Alors, je vous prierais de ne pas leur faire voir ce qu'ils n'auront jamais. »

Tout au long du trajet, nous avons fait plusieurs arrêts et, sincèrement, j'ai été estomaquée de constater combien ces enfants avaient effectivement l'air heureux. Je me souviendrai toute ma vie de leurs visages souriants. Parfois, lorsque l'autobus roulait, ils nous saluaient au passage. Ils vivaient dans des huttes de bois avec un plancher en terre, mais malgré cela, ils appréciaient ce qu'ils avaient, même si ce n'était que le strict nécessaire.

Je ne dis pas que nous devrions nous contenter de peu, bien au contraire, mais je constate que, très souvent, nous vivons dans l'expectative. Nous courons après quelque chose en oubliant ce que nous avons déjà.

# 1 Qu'est-ce que la reconnaissance ?

Il est important de définir le sens des mots que nous employons, sinon les risques de confusion sont réels. De plus, mettre en commun différentes perceptions et plusieurs acceptations nous permet d'élargir notre vision du monde. Voilà pourquoi, avant d'aller plus loin, je vous demande de répondre aux questions suivantes : Que signifie pour vous la « reconnaissance » ? Quelle en serait votre définition ?

## DÉFINIR LA RECONNAISSANCE

*Le Petit Larousse* définit la reconnaissance comme un « sentiment qui incite à se considérer comme redevable envers la personne de qui on a reçu un bienfait ». La reconnaissance implique une opération de l'esprit. Elle repose sur une évaluation et s'accompagne d'une dose de contentement. La reconnaissance peut susciter de l'affection, de même qu'une réaction spontanée. C'est une expérience qui suscite générosité et gratitude.

Selon Brun et Dugas, la reconnaissance est une rétroaction constructive et authentique. Elle est fondée sur l'appréciation de la personne comme un être authentique qui mérite respect et qui possède ses besoins propres et une expertise unique.

D'après Bourcier et Palobart, la reconnaissance est la réaction constructive et personnalisée exprimée à court terme par un individu à la suite d'une action ou d'une attitude, particulière ou globale, qui constitue un effort méritant d'être relevé à ses yeux.

Enfin, pour Natacha Laprise, psychologue à la CSN, la reconnaissance est une façon de démontrer aux gens qu'ils sont précieux, qu'ils comptent à nos yeux, que leur travail nous aide ou nous simplifie la vie. C'est un élément essentiel dans nos milieux de travail, sans quoi il y aurait un vide sur le plan des relations humaines. C'est une façon de rendre ceux-ci plus humains et de motiver les gens.

Voici les éléments de définition que je retiens principalement, afin de mieux comprendre ce que représente la reconnaissance.

### 1. Une action de la pensée

La reconnaissance requiert une évaluation afin de porter un jugement sur ce qu'on apprécie d'une personne, d'une action ou d'une situation. Nous devons prendre un temps d'arrêt pour réfléchir à ce qui nous arrive de bon dans la vie. Donc, une certaine prise de conscience précède l'acte de reconnaissance et est nécessaire à sa manifestation.

### 2. Un état d'appréciation sincère

Je fais référence à l'appréciation plutôt qu'à la notion de redevance de certaines des définitions présentées. Lorsqu'on parle d'un sentiment qui pousse à se sentir redevable, il y a une impression de devoir quelque chose, et ce n'est pas ce que nous voulons dire par reconnaissance. Lorsque nous parlons de reconnaissance, nous pensons à un élan du cœur, totalement gratuit, qui consiste à déterminer l'importance d'une personne, d'une action ou d'une situation, et donc d'en estimer la valeur. Le terme « apprécier » rend donc davantage justice à ce que j'entends ici par reconnaissance. De plus, la sincérité est une condition essentielle pour que la reconnaissance soit valable.

### 3. Un sentiment de contentement

La reconnaissance fait également référence à un sentiment de satisfaction et de totale plénitude. Elle correspond à un remerciement sincère pour toutes nos bénédictions – la santé, l'amour, la réussite, la paix, etc. Il s'agit d'un état de grâce qui nous dispose à apprécier ce que nous possédons déjà. Cette attitude nous permet de ressentir des sentiments totalement opposés à ceux du manque qui ont été décrits précédemment.

# RELATION ENTRE LA SANTÉ ET LA RECONNAISSANCE

Certaines statistiques démontrent la place que la reconnaissance devrait occuper dans nos vies. C'est aussi en réalisant les effets de son absence que l'on constate toute son importance. À cet effet, Jean-Pierre Brun, professeur et directeur de la Chaire en gestion de la santé et de la sécurité du travail dans les organisations, affirme que les gens qui souffrent de non-reconnaissance ont **six fois plus** de risques de développer des problèmes de santé mentale. De plus, un Canadien sur quatre éprouve des troubles de santé mentale et six sur dix trouvent leur travail stressant. Enfin, le nombre de cas d'épuisement professionnel (800 000) au Québec est alarmant. Et cela ne comprend pas les gens qui sont encore au travail, mais qui sont au bord de l'épuisement (*burnout*).

Tout cela peut être attribuable à un nouveau phénomène, le *présentéisme*, qui pourrait se révéler encore plus contre-productif que l'absentéisme. Le présentéisme désigne le fait de passer plus de temps qu'il n'en faut au travail dans le but d'être apprécié de l'employeur, ou d'aller travailler malgré la maladie, la fatigue ou la dépression de peur de passer pour une personne faible ou démotivée. La précarité, la surcharge de travail et le manque de reconnaissance comptent parmi les facteurs qui peuvent expliquer ce phénomène. Le présentéisme est considéré comme une maladie quand la présence physique de l'employé cache une absence ou un vide de l'esprit. Depuis peu, on prend cette affection au sérieux et des mesures ont été mises sur pied pour aider les travailleurs qui risquent l'épuisement professionnel.

Évidemment, la reconnaissance ne pourra pas régler tous les problèmes, mais, en plus de favoriser une bonne santé mentale, elle est excellente pour la santé physique, émotionnelle et psychologique, puisque tout est relié !

Aux États-Unis, les chercheurs de l'institut HeartMath qui s'intéressent à l'intelligence humaine et au rôle du cœur ont fait d'importantes découvertes dans les domaines des neurosciences, de la cardiologie, de la psychologie, de la physiologie, de la biochimie, de la bioélectricité et de la physique. Doc Childre et Howard Martin affirment qu'on peut modifier le rythme cardiaque en se concentrant sur la région du cœur et en activant des sentiments fondamentaux comme l'amour, la reconnaissance et la sollicitude. Lorsque le rythme cardiaque devient plus cohérent, une série de réactions

neuroniques et biochimiques affectent favorablement presque chaque organe du corps.

De plus, selon David Servan-Schreiber, les émotions positives
telles que la joie, la reconnaissance, la compassion, la sollicitude et
l'amour modifieraient l'activité du système nerveux et réduiraient
la production du cortisol, une hormone du stress. Une baisse du
cortisol provoque une augmentation de la DHEA, l'hormone antivieillissement qui a des effets protecteurs et régénérateurs sur plusieurs systèmes du corps.

Enfin, les émotions positives augmentent les anticorps IgA qui
constituent la première ligne de défense du système immunitaire.
L'augmentation d'IgA rend donc l'organisme plus résistant à l'infection
et à la maladie. Voilà plusieurs bonnes raisons d'être reconnaissant !

Ce qui est formidable, c'est que nous pouvons générer ces effets
positifs simplement en évoquant des situations qui nous font ressentir de la reconnaissance, de la gratitude. La reconnaissance peut
donc être une émotion au service de notre santé ; il n'en tient qu'à
nous de l'exprimer.

## Premier exercice :
## Revivre une expérience de reconnaissance

Je vous invite à vous remémorer des souvenirs plus ou moins récents,
des moments où vous vous êtes senti très reconnaissant envers une
personne ou une situation. Vous pouvez inscrire ci-dessous quelques
précisions au sujet de ces expériences.

_____

_____

_____

_____

_____

Rappelons-nous qu'il est fort avantageux de prendre l'habitude de
revivre souvent des moments de gratitude, en veillant à ressentir intensément ces émotions. Pour revivre pleinement une expérience passée, rappelez-vous les images associées à ce souvenir, réentendez les
sons et les paroles d'alors, puis laissez remonter en vous la sensation
que vous aviez ressentie au moment le plus intense de cette expérience.

Il est à noter que lorsque nous utilisons notre imagination et que nous nous faisons des scénarios, notre cerveau ne fait pas la différence entre le réel et l'imaginaire. Nous n'avons qu'à penser à notre plus beau voyage et déjà nos yeux pétillent, notre cœur se met à battre plus fort, et nous sommes rempli d'enthousiasme. Inversement, quand nous nous imaginons qu'une personne chère a peut-être eu un accident, car elle est en retard, les réactions physiologiques associées à la peur sont activées. Nous les ressentons réellement dans tout notre corps. Le cerveau réagit à ce scénario comme si c'était la vérité. Alors pourquoi ne pas utiliser cette faculté à notre avantage ? Il suffit de revivre à loisir des expériences agréables, pour lesquelles nous sommes reconnaissant. De cette façon, nous augmentons nos chances d'avoir une meilleure santé physique et psychologique.

## Deuxième exercice :
## Exprimer et recevoir de la reconnaissance

Voici un exercice simple. Repensez à deux situations différentes : l'une où vous vous êtes senti reconnu ; et l'autre où vous avez reconnu quelqu'un.

Pour ces deux situations, notez comment vous vous êtes senti et quels furent les effets concrets sur vous.

Situation où j'ai été reconnu :

_____

_____

_____

Situation où j'ai reconnu quelqu'un :

_____

_____

_____

En quoi est-il important d'accorder une place à la reconnaissance ?

_____

_____

_____

_____

# D'AUTRES EFFETS BÉNÉFIQUES DE LA RECONNAISSANCE

La reconnaissance, on l'a vu, est un facteur de protection consi-dérable en matière de santé globale, mais elle offre plusieurs autres avantages. En effet, elle est une grande source de valori-sation (estime de soi), elle stimule, motive et encourage. On constate aussi qu'elle humanise le quotidien et les relations in-terpersonnelles. La reconnaissance contribue au développement du sentiment d'appartenance à un milieu, elle facilite l'entraide et la responsabilisation. Enfin, on dit qu'elle est contagieuse, puisqu'elle incite celui qui la reçoit à reconnaître à son tour.

Voici quatre vertus de la reconnaissance qui regroupent les bé-néfices qui lui sont associés.

## Les quatre vertus de la reconnaissance

### Première vertu : La construction de l'identité

La reconnaissance permet à l'individu de se définir en tant qu'être humain. L'identité est une notion liée à la reconnaissance, puisque celle-ci se construit en partie à travers le regard que portent les autres sur nous. Ainsi, lorsque nous manifestons un geste de recon-naissance à l'égard de notre enfant ou d'un collègue, cela lui renvoie une image favorable de lui-même.

Par exemple, si vous dites à votre enfant que vous lui êtes re-connaissant d'avoir fait son lit, vous l'encouragez à répéter ce com-portement. De plus, un enfant se construit une identité à l'aide des rétroactions qu'il obtient de ses parents, de ses enseignants et de son entourage en général. Par conséquent, il est primordial d'offrir cette reconnaissance à l'enfant, même pour des gestes qui peuvent sembler banals à un adulte. Un enfant qui réussit à lacer ses sou-liers pour la première fois mérite des félicitations : pour lui, c'est une victoire.

### Deuxième vertu : L'estime de soi

Lorsqu'on reçoit une marque de reconnaissance, cela nous donne l'occasion d'être fier d'un aspect de nous qui a été reconnu. Comme l'estime de soi correspond à la perception qu'on a de soi-même, être reconnu favorise le développement d'une plus grande estime de soi et d'un sentiment de compétence personnelle. Enfin, un individu qui est reconnu se perçoit nécessairement de façon plus positive.

Par exemple, quand nous soulignons le bon travail d'un de nos employés ou quand nous félicitons notre enfant pour ses résultats scolaires, nous leur donnons l'occasion de se sentir compétents. Ainsi, à chaque nouvelle réussite, on augmente peu à peu notre estime de soi.

### Troisième vertu : Amélioration de la qualité de vie

Un milieu de vie où la reconnaissance occupe une place significative bénéficiera d'une ambiance plus cordiale et d'un climat de collaboration. En effet, puisque les personnes reconnues reconnaissent davantage les autres, un cercle d'échanges positifs s'établit. L'entraide est facile et naturelle. De plus, les tâches sont sources de plaisir et de satisfaction, leur sens est modifié.

### Quatrième vertu : Mobilisation, productivité et performance

Par la reconnaissance, la personne perçoit qu'elle possède une place importante. Elle sent qu'elle peut considérer sa contribution comme unique et précieuse. Dans ces conditions, elle aura davantage le goût de s'impliquer. Par exemple, lorsqu'on remercie un enfant pour sa participation aux tâches ménagères, il y a plus de chances qu'il reproduise ce comportement ultérieurement. De plus, les personnes s'investissent davantage quand elles se sentent engagées. Il est donc important de faire participer les personnes impliquées dans une décision ou un projet, et ce, du début à la fin. Enfin, la reconnaissance représente un moteur d'action tant pour celui qui la reçoit que pour celui qui l'exprime. Elle influence donc positivement la performance et la productivité.

## QUI PEUVENT ÊTRE LES ACTEURS DE LA RECONNAISSANCE ?

Il s'agit de reconnaître l'autre dans le quotidien, de l'apprécier dans ce qu'il est, dans ses valeurs, qualités et habiletés. La reconnaissance peut être exprimée et reçue par tout le monde, contrairement à ce qu'on pourrait croire. En effet, certains pensent que la reconnaissance est exclusivement l'affaire des employeurs face à leurs employés, ou des parents envers leurs enfants. D'autres affirment qu'avant d'exprimer de la reconnaissance, ils attendent d'être d'abord reconnus. Cette manière de penser est triste, car elle prive autrui des effets positifs de la reconnaissance, comme le bien-être ou la plénitude.

Nous avons tous avantage à croire que la reconnaissance est l'affaire de tout le monde. C'est-à-dire que chacun, petit ou grand, riche ou pauvre, peut exprimer de la reconnaissance. Nous verrons plus loin que les manifestations de reconnaissance qui ont le plus grand impact sont les plus simples. Il faut toutefois admettre qu'il est plus facile de reconnaître l'autre quand on a soi-même été reconnu, car la reconnaissance pousse celui qui la donne à en manifester davantage. À cet effet, Gisèle Gadbois, coordonnatrice au perfectionnement à l'ENAP, dans sa conférence intitulée « La reconnaissance, une responsabilité digne d'être partagée », propose l'analogie suivante :

« Devant le rosier, le jardinier a un lien d'interdépendance. Il le soigne, lui coupe les branches, l'arrose et lui donne l'engrais nécessaire. Pourquoi ? Pour faire éclore les fleurs à leur meilleure expression. Du même coup, le jardinier peut aussi voir l'accomplissement de son œuvre. Le rosier en fleurs renvoie au jardinier l'image qu'il est un bon jardinier, puisque la beauté de la floraison témoigne de son savoir-faire. »

Gisèle Gadbois démontre ainsi que la source de la reconnaissance est en soi, dans chaque personne, et qu'elle peut exister dans une dynamique d'interdépendance.

Alors, plutôt que d'attendre que la reconnaissance nous tombe du ciel, commençons donc à l'exprimer et nous en serons grandement récompensés. Comme le jardinier qui récolte, du simple fait de pouvoir apprécier la beauté de son rosier !

# 2 Quatre types de reconnaissance

La reconnaissance peut s'exprimer sous différents types, dont chacun permet de reconnaître des aspects distincts. Bien que ces différents types de reconnaissance soient tous utiles, importants et sources de bienfaits, nous verrons que certains sont plus appréciés par les personnes qui les reçoivent et ont aussi plus d'impact que d'autres.

## RECONNAÎTRE LA PERSONNE

Reconnaître la personne consiste à porter une attention particulière à l'individu pour **ce qu'il est**, dans son être et dans son unicité. Il s'agit d'apprécier l'humanité de la personne devant soi, c'est-à-dire son identité, sa personnalité, puis ses caractéristiques personnelles et uniques. C'est comme si ce type de reconnaissance se faisait de cœur à cœur et qu'on voulait dire à l'autre : je vois et reconnais que tu existes, que tu es unique et merveilleux. Ce type de reconnaissance est à la base de toutes les formes de reconnaissance. Il est aussi le plus demandé et il est le réel moteur de l'investissement. Une façon de reconnaître la personne devant soi consiste simplement à dire bonjour ou merci, en nommant la personne. Il nous arrive parfois de négliger l'importance que peut avoir le fait de se faire appeler par son nom.

Un jour, j'ai demandé un renseignement à une employée de librairie, puis j'ai pris soin de la remercier en la nommant. Elle m'a répondu, enjouée et étonnée, que c'était la première fois qu'on la remerciait personnellement, de cette façon, et qu'elle l'appréciait beaucoup. Cet exemple illustre bien que, une fois qu'on est reconnu, tout de suite on a envie de reconnaître à son tour. En ce sens, la reconnaissance peut être contagieuse. Enfin, en nous remémorant des situations où des personnes que nous connaissions peu nous ont appelé par notre nom, nous sommes particulièrement touché, parce que nous sommes alors reconnu comme personne. Notre nom, c'est notre identité, notre histoire. Dans les familles nombreuses d'autrefois, le nom que chacun portait lui permettait de se sentir unique, alors que frères et sœurs partageaient vêtements, jouets, et parfois le lit ! Nous pouvons constater à quel point il peut être simple et facile d'intégrer la reconnaissance à notre mode de vie. Retenons aussi que ce type de reconnaissance est le plus puissant, puisqu'il touche directement les gens dans ce qu'ils ont de plus important, c'est-à-dire eux-mêmes. De plus, reconnaître la personne est facile et accessible à tous ; ça ne coûte rien.

Quels autres moyens pouvons-nous utiliser pour reconnaître autrui ?

- Sourire.
- Offrir un compliment.

## RECONNAÎTRE LE SAVOIR-FAIRE

Un autre type de reconnaissance consiste à reconnaître le savoir-faire, soit la manière dont une tâche est exécutée quotidiennement. Lorsqu'on reconnaît le savoir-faire, on témoigne à la personne qu'on est conscient de son professionnalisme, de son assiduité, de ses compétences. Ce type de reconnaissance est aussi très important, puisque les résultats d'un projet ou d'un investissement ne sont pas toujours visibles dans l'immédiat. Prenons un enfant qui s'investit quotidiennement dans ses études : il n'obtient pas nécessairement des résultats concrets à chaque semaine. Par contre, il sera très heureux de se sentir soutenu par ses parents qui reconnaissent ses méthodes d'étude et son organisation. Ce type de reconnaissance aide à maintenir la motivation. Il permet aussi de reconnaître la façon dont certaines personnes composent avec des situations difficiles. En effet, il suffit de penser aux infirmières, médecins, policiers, pour découvrir de nombreux cas qui mériteraient d'être davantage reconnus. Ces personnes font face à des demandes exigeantes, elles répondent souvent à des situations de crise pour lesquelles malheureusement elles reçoivent encore trop peu de reconnaissance. Plutôt que d'attendre que la situation change d'elle-même, nous pouvons commencer à faire une petite différence en soignant notre approche envers ces personnes qui sont là pour nous aider.

## © L'histoire de l'hôpital

Il y a quelques années, mon conjoint Louis-Jean a subi un grave accident et a dû être hospitalisé pendant plusieurs semaines à l'unité de trauma- tologie de l'hôpital du Sacré-Cœur de Montréal. Je me rappellerai toujours avoir été très impressionnée par la gentillesse du personnel. Malgré le stress intense que ces gens vivaient au quotidien, leur bonne humeur, leur patience et leur empathie étaient remarquables.

Un bon matin, j'ai décidé d'élucider ce qui était pour moi un mystère. Je me suis mise à interroger le personnel : « Comment faites-vous pour garder le moral, alors que votre travail est si exigeant ? » À ma grande surprise, la plupart des gens m'ont répondu à peu près la même chose : « Nous savons que nous aidons les patients et les familles. Dans un des pires moments de leur vie, nous sommes là pour eux et ils en sont exces- sivement reconnaissants. »

En me promenant dans l'hôpital, j'ai découvert un babillard sur lequel étaient affichées des centaines de cartes de remerciements. À la lecture de ces cartes, j'ai compris pourquoi le personnel avait ce sentiment d'être important et de faire une différence dans la vie des gens. On pouvait lire : « Merci d'avoir sauvé mon enfant ! » ; « Merci de m'avoir aidé à remar- cher ! » ; « Merci d'avoir aidé notre mère dans sa réhabilitation ! » ; « Merci de votre précieuse aide dans un des pires moments de ma vie ! »

La lecture de ces cartes a fait jaillir en moi beaucoup d'admiration pour leur travail, mais aussi beaucoup d'émotions. C'était extrêmement touchant de lire des messages venant du cœur et je pouvais comprendre tout le bien que cela apportait au personnel qui œuvre chaque jour dans cet environnement pour le moins éprouvant.

J'ai réalisé une fois de plus que la reconnaissance fait des mira- cles. Dans des conditions difficiles, c'est un baume qui nous permet de continuer.

## L'histoire du concierge

Je me plais parfois à raconter cette histoire lors de mes conférences. Dans une école primaire, on a fait passer un examen de mathématiques aux élèves de quatrième année. Après leur avoir demandé de résoudre plusieurs problèmes, la dernière question était la suivante : Quel est le nom du concierge de l'école ? Un des élèves finit par demander à l'enseignante : « Qu'est-ce que cette question a à voir avec les mathématiques ? » L'enseignante répondit par une question qu'elle adressa à toute la classe : « Qui parmi vous connaît le nom de notre concierge ? Avez-vous déjà réalisé que chaque matin vous entrez dans une école propre grâce à son travail ? Avez-vous déjà pensé que sans lui notre environnement quotidien ne serait pas le même ? Demain matin, en entrant dans l'école, prenez le temps de remercier Sylvain, notre concierge, pour son magnifique travail qui rend notre milieu de vie beaucoup plus agréable ! »

Il faut savoir une chose : que nous soyons concierge, réceptionniste, éboueur ou médecin, chacun joue un rôle important au sein de la société et nous avons tous avantage à le reconnaître.

Une amie à moi est hygiéniste dentaire dans une clinique où se font souvent soigner des personnalités. Un jour, elle m'a dit : « Certaines personnes sont tellement condescendantes que ç'en est frustrant. Elles considèrent les hygiénistes comme de simples subalternes et ne daignent même pas nous saluer. Ces gens n'ont de respect que pour le dentiste ! »

Sincèrement, j'ai de la difficulté à imaginer que quelqu'un puisse agir de la sorte avec un autre être humain. D'ailleurs, une expression populaire dit : « Les bonnes manières ne viennent pas nécessairement avec la célébrité et l'argent. »

## L'histoire du magasin de souliers

Il y a quelques années, j'ai eu l'occasion de reconnaître le savoir-faire alors que je magasinais pour une paire de chaussures. Dans une boutique un vendeur m'a gentiment accueillie. Il s'est montré réellement intéressé à ce que je cherchais, me posait des questions avec humour, m'a fait essayer des tas de paires de souliers. J'ai donc profité de l'occasion pour lui avouer que j'étais réellement impressionnée par sa bonne humeur, son attitude et sa compétence. Je l'ai remercié de rendre mon magasinage plus agréable. Être à la recherche de la reconnaissance nous permet d'en trouver un peu partout !

- Apprécier la créativité.
- Reconnaître la débrouillardise.
- Reconnaître la délicatesse de quelqu'un.
- Reconnaître la politesse.

## RECONNAÎTRE LES EFFORTS

Ce type de reconnaissance a trait à la contribution en termes d'efforts fournis et d'énergie déployée, et ce, indépendamment des résultats. Dans le milieu professionnel, il peut arriver qu'une personne travaille très fort à un dossier, mais que cela ne conduise pas nécessairement à la réussite. Alors que dans d'autres situations, c'est parfois l'inverse qui se produit : les efforts sont couronnés de succès. Dans un cas comme dans l'autre, le travail de chacun mérite d'être reconnu.

Dans le même ordre d'idées, un enfant qui participe à un concours sportif ou artistique sans remporter de prix doit tout de même être reconnu pour ses efforts. Il comprend ainsi qu'il n'y a pas que la destination qui compte : le parcours aussi est important.

Enfin, ne pas atteindre le résultat espéré la première fois ne signifie pas qu'on ne l'atteindra jamais. Souvent, il s'agit d'un tremplin pour rebondir encore plus loin et réussir encore mieux la prochaine fois. Apprenons à souligner les moindres petits pas dans la bonne direction, cela permet d'encourager les prochains comportements.

- Souligner le dévouement.
- Dire à quelqu'un qu'on admire sa persévérance et sa ténacité.
- Souligner les efforts.

## RECONNAÎTRE LES RÉSULTATS

Ce type de reconnaissance est grandement pratiqué, mais nous devons savoir qu'il n'est pas suffisant. Il permet bien sûr d'apprécier l'atteinte des objectifs fixés, l'efficacité, l'utilité et la qualité d'une réalisation. Cette reconnaissance est donc conditionnelle à la réussite. Dans les entreprises, elle prend souvent la forme de primes.

- Apprécier la contribution unique d'une personne dans la réalisation d'un projet.
- Offrir une mention d'honneur, une prime, une gratification.

# 3 Reconnaître avec qualité

Certaines attitudes ont avantage à être présentes pour que la reconnaissance soit acceptable aux yeux de la personne qui la reçoit. On constate que dans certains cas, la reconnaissance a moins d'impact. Par exemple, un employé qui reçoit une montre en or du directeur de son entreprise, un homme qu'il ne croise que quelques fois par année. Cette récompense le toucherait sans doute davantage si son patron prenait le temps de se rendre à son bureau, de s'asseoir avec lui et de le remercier pour sa contribution. Autre exemple : lorsqu'on attend quelques jours pour féliciter un enfant de sa bonne conduite, il se peut qu'il ait oublié de quoi il est question. Ainsi, afin qu'une marque de reconnaissance ait un effet considérable, il est recommandé de la pratiquer rapidement.

Afin de reconnaître avec qualité et respect, il est souhaitable que nous respections six principes.

## PREMIER PRINCIPE : L'AUTHENTICITÉ

Pour que l'expression d'une marque de reconnaissance soit crédible, elle doit être vraie, authentique. Elle doit venir du cœur, être portée par des sentiments profonds et sincères. L'authenticité représente, entre autres, la clé qui crée une porte d'entrée chez l'autre. Comme le démontre Mehrabian, le langage verbal, c'est-à-dire les mots qu'on utilise, compte pour seulement 7 % dans l'impact de nos communications, alors que le langage non verbal et le ton représentent 93 %.

Les communications non verbales ont donc une influence plus importante.

Si l'on remercie quelqu'un pour son travail, mais que, au fond, on est plutôt déçu, le langage du corps nous trahira. Nos paroles seront entendues, mais notre interlocuteur percevra une incohérence entre les mots et le langage non verbal. Ainsi, un message de reconnaissance qui manque de sincérité n'a pas les effets bénéfiques prévus, puisqu'il risque de ne pas être pris au sérieux. Reconnaître avec qualité en étant authentique, c'est exprimer franchement sa façon de penser!

## DEUXIÈME PRINCIPE : LA RAPIDITÉ

Ce deuxième principe sous-tend qu'il est important de manifester la reconnaissance le plus rapidement possible après l'accomplissement qu'on souhaite souligner. Sinon, la personne pourrait avoir oublié pourquoi on la remercie. De plus, la célérité est une marque d'attention qui témoigne d'un intérêt sincère. Une locution populaire ne propose-t-elle pas de battre le fer pendant qu'il est chaud?

## TROISIÈME PRINCIPE : LA CRÉDIBILITÉ

Une marque de reconnaissance de qualité doit avoir du sens pour la personne qui la reçoit. Pour qu'une personne reconnaissante soit crédible, il importe qu'elle se soit préalablement renseignée sur les appréciations qu'elle souhaite formuler. Ce principe explique aussi pourquoi la reconnaissance entre pairs a plus d'impact. En effet, lorsque c'est quelqu'un qui connaît la nature de la tâche reconnue et l'ampleur des efforts nécessaires pour la réaliser, cela a davantage d'impact que s'il s'agit d'une personne qui n'a aucune idée de ce dont il est question réellement. Ainsi, dire à notre enfant qu'il travaille bien sans avoir jeté un coup d'œil à ses cahiers est peu crédible et n'aura aucun sens pour lui. Cette marque de reconnaissance pourrait même le décourager ou le démotiver. Comme on le sait, la confiance et l'estime d'un enfant se développent d'abord à travers le regard de ses parents. Lorsqu'il se sent reconnu, l'enfant peut se reconnaître. Reconnaître avec qualité exige un minimum de temps, toutefois, le jeu en vaut la chandelle!

# QUATRIÈME PRINCIPE : LA DIVERSITÉ

Si on répète la même chose trop souvent, l'habitude s'installe. Or, les êtres humains ont besoin que les choses changent afin de maintenir leur attention à un niveau considérable, et il en va de même avec la reconnaissance.

Par exemple, si nous remercions tous les jours notre enfant d'avoir fait son lit, il finira par ne plus nous entendre. Il faut donc être créatif et apporter de petites modifications, comme déposer un mot doux sur son oreiller pour lui dire à quel point on apprécie de ne pas avoir à lui répéter constamment de faire son lit ! Quelle économie d'énergie pour un parent ! Le mot d'ordre est la créativité : plus nous sommes originaux, plus nos marques de reconnaissance auront de l'effet. Pour ce faire, on peut s'inspirer des saisons, des fêtes. Par exemple, pourquoi ne pas profiter de l'arrivée de l'hiver pour offrir du chocolat chaud à une personne que nous apprécions, en reconnaissance de son amitié ? À la Saint-Valentin ou à Pâques, on peut offrir un chocolat en forme de cœur pour remercier quelqu'un de son aide – collègue, patron, employé, voisin ou ami !

Avez-vous remarqué que certaines personnes maîtrisent l'art de prodiguer de petites attentions ? J'ai beaucoup d'admiration pour les gens qui agissent ainsi tout naturellement. Il y a quelques années, j'ai travaillé avec une telle femme. Ginette enseignait à la même école que moi et elle avait l'habitude de manifester des marques de reconnaissance aux gens qu'elle appréciait et à ses étudiants. Ceux-ci les appréciaient grandement. Pourquoi ? Parce que cela venait du cœur.

Depuis lors, je pratique cette forme d'attention dans mon entourage. Par exemple, je me plais à préparer le café pour mes employés le matin. Mon adjointe Christelle fait souvent des blagues en disant : « Moi, je suis chanceuse : c'est ma patronne qui me fait le café, et non l'inverse ! » Je sais que cette petite attention lui fait plaisir. Et lui faire plaisir me fait aussi plaisir.

Isabelle, qui a participé à l'écriture de ce livre, sait elle aussi que les petites attentions font toute la différence. À la Saint-Valentin, elle nous offre de petits suçons en chocolat. Un jour, avant mon départ en voyage, elle m'a offert une carte pour me souhaiter bonne route. Ces attentions ne coûtent pas cher, mais elles font plaisir.

Lorsqu'on les reçoit, on se dit que la personne a pensé à nous et cela fait chaud au cœur.

## CINQUIÈME PRINCIPE : LA PERSONNALISATION

En matière de reconnaissance, il n'existe aucune recette. La personnalisation, le cinquième principe pour reconnaître avec qualité, nous invite à adapter nos marques de reconnaissance aux caractéristiques et valeurs propres à la personne que nous souhaitons reconnaître. Plus nous aurons pris soin de personnaliser la reconnaissance, plus la personne se sentira interpellée et plus les effets seront importants et favorables. On doit par contre être prudent, puisque lorsqu'on offre quelque chose à quelqu'un, on a tendance à donner ce qu'on aimerait recevoir, et ce, tant sur le plan matériel que sur le plan affectif. Par exemple, une femme qui aime recevoir des caresses de son mari a de bonnes chances de lui témoigner son amour en le caressant. Alors que l'homme, qui est peut-être plus auditif, préférerait sans doute qu'elle lui dise plus souvent : « Je t'aime et je t'apprécie, mon chéri ! » Que de confusions possibles, puisque nous fonctionnons tous différemment ! Pour réduire les mauvaises interprétations, rien de mieux que d'interroger la personne ou simplement d'être attentif et d'observer l'autre. L'observation nous fournit également une foule d'informations sur les intérêts de la personne et ce qu'elle aime. Par exemple, j'ai une amie qui adore les fleurs, mais au début de notre amitié je lui offrais toujours des cartes d'anniversaire avec des animaux. Pourquoi ? Parce que, moi, j'aime les animaux. Avec le temps, j'ai compris qu'une carte avec des fleurs était beaucoup plus appréciée de sa part. Cela signifiait que j'avais pris soin de reconnaître ses intérêts à elle et lui faisait davantage plaisir. Ces petits détails font souvent une grande différence. Il est donc utile de demander aux gens qui nous entourent : « Comment sais-tu que tu es apprécié et reconnu ? » Les réponses à cette question nous offrent un mode d'emploi, nous indiquent exactement quoi faire pour personnaliser nos marques de reconnaissance.

La personnalisation, c'est aussi reconnaître la personne, plutôt que de seulement viser l'objet ou souligner les comportements. Reconnaître la personne, c'est rejoindre son identité propre, cela a donc un impact plus fort. Par exemple, si l'on dit à une artiste peintre : « Ta toile est belle », nous parlons de l'objet plutôt que de la personne. Il peut être intéressant de porter une attention particulière à la personne, ce qui est davantage bénéfique, et de lui dire : « Tu es une artiste talentueuse. » Ce compliment la touche plus directement et plus personnellement.

## SIXIÈME PRINCIPE : LA PRÉCISION

Pour que la gratitude exprimée soit bien comprise, il faut prodiguer nos marques de reconnaissance avec précision. Pour ce faire, notre message doit révéler clairement la réalisation, l'effort, le trait de personnalité, l'attitude ou tout autre élément qui est l'objet du témoignage de considération. À cet effet, il est également préférable de reconnaître les actions séparément, plutôt que d'en accumuler une série. Il est aussi conseillé d'utiliser un langage précis et de mentionner de façon très spécifique ce qu'on désire reconnaître. Par exemple, si j'exprime de la gratitude envers la vie en disant : « Merci pour tout ce que j'ai ! », c'est bien, mais nous gagnons à être plus précis. Il est préférable de nommer ce que l'on reconnaît : « Merci pour ma santé, mes enfants et mon travail qui me permet d'aider les autres ! »

Cela vaut également lorsqu'on reconnaît une autre personne : nous devons préciser avec exactitude l'objet de notre remerciement. Ainsi, nous limitons les occasions de confusion et nous augmentons les chances de mieux nous faire comprendre.

En dernier lieu, rappelons-nous que pour reconnaître avec succès, il nous faut être spécifique et préciser notre pensée le plus possible.

# 4 Quelques idées maîtresses qui facilitent la reconnaissance

Les principes présentés dans la section précédente nous aident à pratiquer la reconnaissance avec une finesse remarquable. Lorsque nous arrivons à reconnaître en nous souciant de ces différents principes, nous le faisons avec qualité, et nous pouvons dire que nous pratiquons *l'art de la reconnaissance*. Toutefois, il est possible de raffiner davantage cet art.

## LA RECONNAISSANCE, UN SAVOIR-ÊTRE

La reconnaissance n'est pas une obligation ni un code moral, c'est un état d'être naturel. Nous nous disons parfois : « Il faut que je lui dise merci ou félicitations », mais cela est contraire à la reconnaissance comme savoir-être. Celle-ci doit venir du cœur, être totalement gratuite et spontanée. La reconnaissance, c'est aussi apprécier ce que nous possédons. Par exemple, le simple fait d'être en bonne santé devrait nous remplir de gratitude. La reconnaissance comme savoir-être, c'est d'abord une manière d'être, une *attitude*.

Réjouissons-nous, car il est possible de développer cette attitude, à condition d'être sincère. Voici donc un exercice simple et intéressant qui vous aidera à développer un savoir-être débordant de reconnaissance. Ces questions dirigent votre attention sur des réponses spécifiques qui génèrent des sentiments favorables et positifs. En route vers des attitudes de reconnaissance !

## Troisième exercice :
## Questions à se poser quotidiennement

- De quoi suis-je reconnaissant présentement ? Comment est-ce que je me sens par rapport à cela ?
- De quoi suis-je fier aujourd'hui ? Comment est-ce que je me sens par rapport à cela ?
- Quelle sera ma contribution de la journée ? Comment est-ce que je me sens par rapport à celle-ci ?

Inscrivez ces questions sur un carton que vous collerez sur l'armoire à pharmacie ou sur le réfrigérateur, ou apprenez-les par cœur. L'objectif est de leur répondre quotidiennement, voire plusieurs fois par jour, pour développer l'habitude d'être dans un état de reconnaissance. Ainsi, vous profiterez de ses nombreux bienfaits !

## LA RECONNAISSANCE, UNE FORME DE RESPECT

L'art de la reconnaissance, c'est également adopter un système de valeurs propre à l'expression de celle-ci. Cela signifie qu'on ne reconnaît pas n'importe comment : certaines valeurs gagnent à être mises de l'avant. Par exemple l'ouverture, l'écoute, la confiance et la sensibilité aux autres. Intégrer ces valeurs témoigne d'une attention particulière qui permet la reconnaissance comme respect.

## LA RECONNAISSANCE, UNE PHILOSOPHIE QUOTIDIENNE

En plus d'être un savoir-être respectueux, la reconnaissance est aussi une philosophie qui gagne à être pratiquée au quotidien, par divers comportements et gestes simples. Par exemple, il ne faut pas attendre la grande promotion avant de reconnaître notre talent. En fait, plutôt que d'attendre que la reconnaissance provienne de l'extérieur, amorçons nous-même le processus et nous en serons instantanément récompensé. N'oublions pas que lorsqu'une personne se sent reconnue, elle reconnaîtra à son tour. Alors, au lieu d'attendre que les choses changent, apprenons à nous mettre dans l'action et à devenir le créateur de ce que nous souhaitons obtenir. Enfin, lorsque nous adoptons la reconnaissance comme philosophie, il est facile et naturel de l'exprimer, car elle devient notre mode de vie.

# 5 Quelques obstacles à la reconnaissance

Bien que les nombreux avantages de la reconnaissance se comprennent facilement, il arrive que dans certains cas elle ne soit pas facile à pratiquer, en raison de différents obstacles. Ces obstacles se traduisent par des difficultés qui ne doivent cependant pas devenir des excuses, ce qui pourrait diminuer l'importance de l'expression et de la manifestation de reconnaissance.

## LE TEMPS

On a vu que la reconnaissance exige un peu de notre temps pour que nous nous arrêtions et prenions conscience de ce qui mérite d'être reconnu et envers quoi nous désirons exprimer de la reconnaissance. Un moment est également alloué à la manifestation de cette reconnaissance. Toutefois, afin d'adopter la reconnaissance comme philosophie de vie, il importe d'y consacrer du temps à chaque jour. Quelques minutes suffisent. Souvent, le temps peut être un obstacle à la reconnaissance chez les gens qui doivent organiser des événements de grande envergure qui exigent beaucoup d'énergie. Mais rappelons-nous que ce sont souvent les gestes les plus simples – un merci, un sourire – qui ont le plus grand impact.

Ainsi, plutôt que de nous priver des bienfaits de la reconnaissance, adoptons des pratiques faciles et efficaces ! Lorsque nous pensons ne pas avoir de temps pour la reconnaissance, nous pouvons profiter de cette occasion pour revoir nos priorités et récupérer ainsi une dizaine de minutes dans une autre sphère d'activités qui ne nous comble plus autant. Par exemple, la télévision ou les feuillets publicitaires peuvent vous distraire, mais ils n'ont pas les bienfaits de la reconnaissance. Rappelons-nous qu'une priorité, c'est quelque chose de très important pour nous et qui nous tient à cœur. Alors, si la reconnaissance est notre priorité, il est facile de l'inclure dans nos activités quotidiennes et d'en faire ainsi une philosophie. Alors, dépassons notre hyperactivité quotidienne, exprimons notre gratitude et cessons de percevoir le manque de temps comme une excuse à la reconnaissance !

## LA PEUR

Un deuxième obstacle potentiel à l'expression de la reconnaissance est la peur, c'est-à-dire la perception d'une menace. Celle-ci peut prendre diverses formes, par exemple la peur de se soumettre à l'autre, de passer pour une personne agaçante, de perdre du pouvoir, d'être rejeté. En effet, il est possible d'élaborer une variété de scénarios imaginaires associés à l'expression de la reconnaissance. Toutefois, ces scénarios traduisent rarement la réalité. Voilà des questions qui peuvent nous aider à diminuer la peur liée à l'expression de la reconnaissance.

### Premièrement : Identifier l'objet de la peur

- De quoi ai-je peur ?
- Qu'est-ce qui m'empêche d'exprimer de la reconnaissance ?

### Deuxièmement : Confronter l'objet de la peur avec la réalité

- Qu'est-ce qui prouve que ce que j'appréhende se produira réellement ?
- Même si ce dont j'ai peur arrivait, pourrais-je y survivre ?
- Serait-ce réellement effrayant et catastrophique ?

En répondant à ces questions, nous arrivons à mettre en question les idées que nous entretenons concernant l'expression de la reconnaissance et qui nous causent de la peur, en plus d'influencer

défavorablement nos comportements. En effet, lorsque nous ap-
préhendons une situation, il est naturel de chercher à l'éviter pour
nous en protéger. Il est donc évident qu'une personne qui entretient
de la peur face aux conséquences que pourrait avoir la reconnaissance se retienne. Toutefois, je pense sincèrement qu'on est perdant
si on laisse la peur prendre le dessus et qu'on ne reconnaît pas les
gens qui le méritent. Par exemple, dans les milieux professionnels, il
est fréquent que l'expression de la reconnaissance soit perçue comme
un risque de perdre du pouvoir et de l'autorité. Comme si celui qui
l'exprime se rabaissait, contrairement à celui qui la reçoit. D'autres
pensent que la reconnaissance est tenue pour acquise. Pourtant,
quand on comprend bien la reconnaissance, on voit qu'il n'en est rien
et que les deux parties en sortent gagnantes. La reconnaissance s'exprime au niveau des relations entre les personnes et non entre les
différents statuts ; elle n'a donc rien à voir avec le pouvoir.

## L'IGNORANCE

On a vu qu'il est important d'être crédible lorsqu'on reconnaît une
personne ou un travail. Cette crédibilité s'exprime, entre autres, par
la connaissance de la personne qui reconnaît pour l'objet de sa reconnaissance. Autrement dit, la personne qui exprime de la reconnaissance gagne à savoir de quoi elle parle. Elle doit connaître pour
reconnaître. La méconnaissance d'une tâche ou d'une réalisation
quelconque peut donc entraver le processus de reconnaissance. En
effet, la personne qui ignore l'ampleur d'un travail accompli risquerait d'émettre de la reconnaissance basée sur des aspects superficiels,
ce qui pourrait manquer de crédibilité. Ainsi, au risque de ne pas
être crédibles, certains choisiront de ne pas reconnaître. Par contre,
si nous nous rendons compte de notre ignorance par rapport à une
tâche ou à un travail, pourquoi ne pas simplement prendre un petit
moment pour se renseigner davantage, soit par le biais d'autres personnes ou en allant voir directement la personne concernée ? Il suffit
de dire que nous désirons en savoir davantage sur ce qu'elle fait,
comment elle s'y prend, ce qui est important pour elle. Les différentes
réponses que nous obtiendrons à ces questions seront autant d'occasions de reconnaître. La curiosité nous aidera à obtenir les informations nécessaires à la manifestation de la reconnaissance.

## L'ÉQUITÉ

Dans le but d'être justes et équitables, il arrive que certains se préoccupent de savoir comment manifester de la reconnaissance, à qui et quand le faire. Ce désir d'équité vise à éviter la flatterie et la jalousie, par contre il peut devenir un obstacle à la reconnaissance. Cette crainte d'être injuste peut nous paralyser et nous empêcher d'exprimer le fond de notre pensée. Pour surmonter cette difficulté, nous pouvons tout simplement nous demander si la marque de reconnaissance que nous désirons offrir est réellement justifiée et si elle respecte les principes de qualité décrits plus haut. Si c'est le cas, nous sommes sur la bonne voie !

## LA PERSONNALITÉ

Nous sommes tous des personnes uniques, avec des forces et des points à améliorer. L'ensemble de nos caractéristiques constitue notre personnalité. Certains individus ont une personnalité plus sociale et il est plus facile pour eux d'entrer en relation avec les autres. Ils s'expriment avec aisance. Ces personnes ont donc naturellement une plus grande facilité à exprimer de la reconnaissance. Il existe aussi des cas contraires, des personnes timides ou réservées. Pour elles, la seule pensée d'avoir à s'adresser à quelqu'un d'autre les rend mal à l'aise. Dans ces cas-là, la personnalité peut être un obstacle à la reconnaissance. Toutefois, cette difficulté est loin d'être irréversible. Avec un peu d'entraînement et de bonne volonté, il est possible d'y remédier. La bonne nouvelle pour ces personnes, c'est que leur désir d'améliorer leur style de communication, de se libérer de leur gêne et d'exprimer plus aisément de la reconnaissance sera bénéfique dans d'autres aspects de leur vie. Ainsi, si vous avez du mal à interagir avec autrui et à communiquer, encouragez-vous, car cet obstacle peut être l'occasion de vous prendre en mains et de dépasser vos limites personnelles. Je vous invite à vous fixer de petits objectifs quotidiens qui visent à reconnaître la personne. Dites plus souvent « bonjour » et « merci » aux gens de votre entourage, mais aussi à ceux que vous connaissez moins.

# 6 Sur quoi devrait porter la reconnaissance?

La prise de conscience de petits gestes quotidiens, de l'effort constant pour faire mieux, des attitudes et des comportements de soutien et d'entraide est un aspect fort important à reconnaître. Dans sa conférence « Être reconnu au travail: nécessité ou privilège? » Marie-Claire Carpentier-Roy, sociologue à l'Université de Montréal, parle de la reconnaissance comme d'un jugement porté sur le travail. Elle distingue deux types de jugement: le jugement d'utilité qui vient de la ligne verticale (de la hiérarchie), qui répond au pourquoi du travail, qui lui donne son sens et son importance; et le jugement de la beauté, qui provient davantage des pairs, soit de la ligne horizontale, et qui reconnaît les efforts, l'implication, la créativité et l'originalité d'un travail. Ce type de jugement touche l'identité, l'estime de soi et l'appartenance.

Les points suivants gagnent à être reconnus:

- les efforts, l'implication et la qualité du travail;
- le soutien et la collaboration;
- la créativité et l'initiative;
- les bons coups, la performance et les bons résultats.

# 7 Différentes pratiques de reconnaissance

Ici, ce sont davantage des pratiques de reconnaissance simples, peu coûteuses, voire informelles, qui seront proposées. Ce sont d'ailleurs celles-ci qui ont le plus d'impact. Cela dit, il importe que chacun soit l'acteur des différentes pratiques de reconnaissance. Par exemple, un employé ne peut reconnaître son collègue en lui offrant une prime!

Nous verrons qu'il existe plusieurs manières différentes de reconnaître et qu'il n'y a pas de solutions miraculeuses. Chacune des pratiques exige une adaptation, selon la personne et le contexte.

Voici donc des exemples de pratiques intéressantes à retenir:

- Formuler un commentaire verbal immédiat;
- Consulter avant la prise de décision;
- Valoriser la place de chacun;
- Valoriser les efforts, les exploits et les réalisations;
- Utiliser des symboles de distinction ou des objets de rappel.

Je vous propose maintenant une liste de différentes pratiques de reconnaissance. Comme le suggèrent les principes pour reconnaître avec qualité, il est intéressant de varier les moyens de reconnaissance.

## Formuler un commentaire verbal immédiat

- Complimenter quelqu'un pour un travail accompli.
- Émettre des encouragements lors d'une tâche complexe.
- Dire à une personne qu'on admire sa persévérance et sa ténacité.
- S'encourager à maintenir les efforts.
- Appeler une personne pour la remercier de sa contribution à un projet organisationnel ou personnel.
- Donner une poignée de main, pour remercier.
- Prendre le temps de dire merci.
- Sourire.
- Reconnaître le talent culinaire de quelqu'un qui nous reçoit.
- Remercier notre conjoint de son attention.

## Consulter lors de la prise de décision

- Consulter les enfants avant de choisir la destination des vacances.
- Faire circuler et partager l'information.
- Tirer parti de l'expérience des autres en demandant des conseils (nous reconnaissons ainsi leur expertise).
- Faire appel aux compétences professionnelles de ses collègues.

## Valoriser la place de chacun

- Souligner la contribution unique de chacun.
- Favoriser la collaboration.
- Tirer parti des talents de chacun.
- Discuter avec un collègue de sa dernière réussite professionnelle.
- Accorder de l'importance aux personnes.

## Valoriser les efforts, les exploits et les réalisations

- Lors des réunions, souligner la contribution particulière des équipes de travail.
- Souligner la créativité, la progression, les efforts.
- Souligner les réussites et les succès.
- Créer un tableau des exploits des individus ou des membres de la famille.
- Souligner les améliorations.
- Féliciter quelqu'un pour son dévouement.

**Utiliser des symboles de distinction ou des objets de rappel**

- Décerner un trophée pour souligner les bons coups.
- Écrire une note pour remercier de la qualité d'un travail.
- Afficher les réussites sur un tableau de reconnaissance.
- Organiser des sorties, des déjeuners entre collègues.
- Offrir des chocolats.
- Utiliser des peluches qu'on échange contre des marques de reconnaissance.

## Autres manières de reconnaître

- Offrir un gâteau d'anniversaire ou une carte à un collègue ou à un ami.
- Préparer un accueil personnalisé pour les nouveaux employés.
- Afficher les lettres de remerciements des clients.
- Connaître le nom des gens.

# 8 La puissance de la reconnaissance au travail

## L'IMPORTANCE DE LA RECONNAISSANCE DANS LE MONDE DU TRAVAIL

La santé au travail fait référence au sentiment de bien-être ou de mal-être psychologique, physique et émotionnel. Après la surcharge de travail, **le manque de reconnaissance est la principale cause du mal-être au travail.**

### Le contexte social

Le contexte social est actuellement caractérisé par une perte importante des repères individuels et collectifs, ce qui crée de nombreuses attentes en matière de reconnaissance. En effet, la montée de l'individualisme, la dégradation des réseaux sociaux, le manque de soutien social, les exigences toujours grandissantes et le désir d'exceller sont autant de raisons de croire que les besoins d'être reconnu sont de plus en plus présents.

### Le contexte organisationnel

Il y a présentement dans les entreprises une culture organisationnelle basée sur la performance – faire plus avec moins. Par exemple, dans les hôpitaux, les ressources diminuent, mais le personnel qui reste doit répondre à des demandes encore plus grandes qu'avant. Face à de telles conditions de travail, l'individu remet en question son rôle et il a l'impression qu'on sous-estime son importance et sa contribution. De plus, le contexte organisationnel renferme les différentes transformations survenues dans le monde du travail au cours des dernières années : nouvelles technologies, montée du libéralisme, croissance de l'économie du savoir, mondialisation et concurrence internationale. Pour ces différentes raisons, l'importance de la reconnaissance au travail prend tout son sens.

## L'impact du contexte organisationnel

Le contexte organisationnel engendre une culture fondée sur la performance, entraîne une baisse de l'estime de soi au sein des entreprises et minimise la contribution des employés au processus de travail. Ces conditions sont responsables de l'accroissement d'un sentiment d'insécurité. Les individus peuvent en venir à remettre en question leur rôle et leur importance au sein de l'entreprise, à se désengager et à vivre du « présentéisme » (voir « Relation entre la santé et la reconnaissance » à la page 109). S'ensuivent une baisse de la motivation et une augmentation des problèmes de santé.

## DÉFINIR LA RECONNAISSANCE EN MILIEU DE TRAVAIL

Le professeur Jean-Pierre Brun, qui s'intéresse particulièrement au phénomène de la reconnaissance dans les milieux de travail, propose une définition simple de celle-ci.

### Cinq critères pour définir la reconnaissance au travail

1. **Une réaction constructive et authentique**
   L'objectif est de valoriser la personne, la motiver et l'encourager pour ses efforts et son travail.

2. **Elle est fondée sur la reconnaissance de la personne**
   Il importe de considérer le travailleur comme une personne complète, avec un passé, un présent et un futur. Il est à noter toutefois que tout le monde n'a pas besoin d'être reconnu de la même ma-

nière. Il faut donc être à l'écoute de chacun pour adapter la reconnaissance en fonction des différents besoins.

3. **Un acte d'appréciation et de jugement**
   Pour être crédible, la reconnaissance doit permettre d'apprécier honnêtement le travail. On félicite donc parfois, mais on souligne aussi les points à améliorer.

4. **Un exercice quotidien ou ponctuel**
   Ce que les gens souhaitent le plus, c'est une reconnaissance qui s'exprime au quotidien.

5. **Elle prend diverses formes: symbolique, concrète, financière**
   La reconnaissance symbolique est exprimée par un merci, un bonjour, des félicitations. La reconnaissance concrète consiste par exemple à permettre à une personne d'assister à une formation ou à un colloque. La reconnaissance financière peut être une prime.

Ainsi, comme le précise Jean-Pierre Brun, la non-reconnaissance est vécue de plus en plus individuellement dans les organisations et elle se manifeste sous deux formes concrètes: le **désengagement** (ou la démotivation) et l'**absentéisme**. De plus, dans un monde en perpétuelle accélération, plusieurs ressentent une perte de sens considérable par rapport au monde du travail. À cet effet, le D$^r$ Serge Marquis, dans sa conférence sur l'art de la reconnaissance, propose que ce n'est peut-être pas tant la surcharge de travail qui mène à l'épuisement professionnel que l'**absence de sens**.

Ainsi, **la reconnaissance permet de donner un sens à la contribution et à l'intelligence des employés.** De plus, elle accroît la satisfaction et le plaisir au travail, ce qui favorise un bon climat de travail. Quand les gens se sentent reconnus, il est plus facile pour eux de développer un sentiment de fierté, d'appartenance, et de mobiliser leurs forces et leur énergie.

Inversement, la non-responsabilisation face à la reconnaissance peut entraîner les effets pervers suivants:

- détérioration du climat de travail;
- problèmes d'entraide et de collaboration;

- isolement, radicalisation des positions;
- augmentation phénoménale de l'absentéisme.

Comme Jean-Pierre Brun l'exprime, si la non-reconnaissance est du côté des problèmes, la reconnaissance est très certainement du côté des solutions.

## CONDITIONS POUR IMPLANTER LA RECONNAISSANCE DANS LES MILIEUX PROFESSIONNELS

Il importe que la reconnaissance au travail se traduise dans la culture, les valeurs et la dynamique de l'entreprise. Cela dit, il sera plus facile d'implanter la reconnaissance dans les entreprises où les priorités organisationnelles sont fondées sur le bien-être physique et psychologique de l'individu. En outre, une philosophie organisationnelle en harmonie avec les principes de la reconnaissance, un climat de travail teinté de respect et de coopération, une complicité entre les membres de l'organisation, la spontanéité dans les contacts quotidiens et une communication adéquate sont des facteurs qui influenceront positivement l'implantation de la reconnaissance dans les milieux professionnels. D'autres conditions souhaitables sont un contexte de travail qui aspire à une vision plus humaine des pratiques de gestion, et à une mobilisation de tous les acteurs – travailleurs, intervenants, instances syndicales, haute direction. Enfin, en attendant la situation idéale, demandons-nous ce que nous pouvons changer au quotidien pour améliorer la reconnaissance.

En résumé, la reconnaissance gagne à s'exprimer dans le milieu de travail, et ce, **de façon simple, quotidienne, spontanée et personnalisée**. Enfin, l'implication et l'engagement de tous permettront de créer un état d'esprit propice à la mise en place de la reconnaissance.

# 9 Passer à l'action pour plus de reconnaissance

## PLAN D'ACTION

Comment allez-vous implanter la reconnaissance dans votre quotidien? Les changements ne sont possibles que grâce à des actions concrètes; les bonnes intentions ne suffisent pas. Voilà pourquoi je vous propose un plan d'action. Remplissez-le attentivement afin de préciser comment vous allez vous y prendre pour reconnaître davantage et en faire un style de vie.

**Pratique choisie** (voir section 7 à la page 137):

_____

_____

_____

**Moyens utilisés:**

_____

_____

_____

**Qui allez-vous reconnaître?**

_____

_____

**Que ferez-vous?**

_____

_____

_____

Où ? Dans quel contexte ?

_____

_____

_____

Quand ?

_____

_____

_____

Comment ? De quelle manière ?

_____

_____

_____

Date de suivi :

_____

_____

_____

Ajustements, si nécessaire :

_____

_____

_____

## PLAN D'ACTION ANNUEL

Cette section vous offre de la flexibilité dans la manière dont vous allez utiliser le plan d'action. Ce qui importe avant tout, c'est que vous puissiez faire régulièrement un suivi dans le but d'intégrer la reconnaissance à votre mode de vie. Je vous invite à préciser, pour chacun des mois de l'année, des actions spécifiques qui vous permettront de reconnaître davantage.

| Mois | Pratiques de reconnaissance (moyens choisis) | Dates des suivis et commentaires |
|---|---|---|
| Janvier | | |
| Février | | |
| Mars | | |
| Avril | | |
| Mai | | |
| Juin | | |
| Juillet | | |
| Août | | |
| Septembre | | |
| Octobre | | |
| Novembre | | |
| Décembre | | |

# Conclusion

*Gardez les choses simples. La reconnaissance,*
*c'est d'abord une façon d'être, plutôt qu'une façon de faire.*
LES MEMBRES DU RÉSEAU D'ÉCHANGE SUR LA RECONNAISSANCE

Lorsque j'étais jeune, ma grand-mère paternelle nous recevait tous les week-ends chez elle et je me souviens de ses petites attentions. Elle savait que mon dessert préféré était le Jell-O et elle prenait un temps fou à le préparer comme je l'aimais, en plusieurs étages de couleurs différentes. Elle confectionnait aussi de petits sandwichs roulés avec du pain coloré. Elle sortait sa plus belle vaisselle et décorait la table. Nous avions vraiment l'impression d'être importants à ses yeux. Elle avait le souci de nous faire plaisir et elle y mettait tout son amour.

Il est souvent plus naturel de faire plaisir aux gens qu'on aime, mais n'oublions pas que la reconnaissance a avantage à être pratiquée au quotidien avec les gens que nous côtoyons. En outre, elle fait des miracles chez celui qui la reçoit comme chez celui qui la donne.

Certains des gens les plus appréciés dans ce monde sont ceux qui ont atteint la gloire et la richesse, mais qui sont restés simples et accessibles. Songeons à Céline Dion. En plus d'avoir une voix extraordinaire, elle est restée elle-même, et lorsque les gens la rencontrent elle leur donne l'impression d'être importants. Voilà pourquoi son succès est si grand.

Quand nous parlons d'atteindre notre **plein potentiel**, retenons que la reconnaissance contribue à améliorer grandement la qualité de nos relations et, par conséquent, à rendre notre vie personnelle et professionnelle beaucoup plus agréable et enrichissante.

# TROISIÈME PARTIE

## L'attitude : une clé importante pour le dépassement de soi

Selon une étude menée par l'université Harvard, **76 %** des gestionnaires classent l'**attitude** parmi les trois facteurs les plus importants lors de l'embauche.

### SAVIEZ-VOUS QUE L'ATTITUDE GÉNÈRE L'ALTITUDE ?

 *L'histoire des sœurs jumelles*

Un mystère planait sur deux sœurs : lorsqu'elles étaient silencieuses, elles étaient si indiscernables qu'elles se ressemblaient physiquement. Des copies conformes, disait-on. Elles étaient en fait des jumelles identiques. Toutefois, un aspect permettait aux gens de les différencier : aussitôt que l'une ou l'autre s'exprimait verbalement, on distinguait immédiatement Marie-Soleil de Marie-Nuage. Leurs attitudes étaient non seulement différentes, mais aussi contradictoires. On aurait dit que l'une portait des lunettes roses et l'autre, des lunettes noires. Ainsi, quand parents et amis entendaient un discours optimiste (la vie est belle ; les gens sont sympathiques ; je suis heureuse et intéressante ; je vais réussir...), ils reconnaissaient Marie-Soleil. Par contre, les propos pessimistes (la vie est difficile ; personne ne m'aime ; je ne suis pas intéressante ; les gens sont méchants ; jamais je ne réussirai...) trahissaient Marie-Nuage. Dès l'école primaire, leurs perceptions de la vie avaient été diamétralement opposées. Marie-Soleil appréciait ses professeurs, Marie-Nuage les critiquait ; celle-là aimait l'école, celle-ci se plaignait sans cesse. Plus tard, leurs parents n'eurent malheureusement pas les moyens d'envoyer les deux sœurs à l'école secondaire privée. Comme ils savaient que l'école publique n'offrait pas autant d'activités parascolaires et que du fait des classes nombreuses les professeurs étaient moins disponibles, les parents décidèrent d'envoyer Marie-Nuage à l'école privée. Ils voulaient lui donner l'occasion de voir l'école et la vie sous un jour meilleur, et ils se disaient que Marie-Soleil bénéficierait aussi de cette décision, puisqu'elle devrait faire face à des situations qui ne sont pas toujours roses. Par exemple, marcher longtemps sous les intempéries (car son école était plus loin de la maison que l'école privée) et partager le peu de ressources et patienter en classe avant d'obtenir des réponses à ses questions lui permettraient d'avoir une vision plus juste de la réalité. De ce fait, les parents s'attendaient à ce que Marie-Soleil devienne plus pessimiste et Marie-Nuage, plus optimiste. Lorsqu'ils interrogeaient Marie-Soleil sur son expérience, elle leur répondait en souriant : « Lorsque je marche pour me rendre à l'école, j'admire les paysages des différentes saisons, je chante et cela me dégourdit. J'arrive à l'école le matin ou le soir à la maison toute revigorée. » Et puis elle avait mis sur pied des activités sportives le midi. Quant à Marie-Nuage, bien qu'elle fût dans une école de renom, à proximité de la maison, et qu'elle eût accès à des activités parascolaires diversifiées, elle n'était pas plus heureuse. Elle se plaignait de tout, de ses camarades, de ses professeurs, etc. Depuis lors, les deux sœurs ont grandi et n'ont pas changé. Malgré les efforts de leurs parents, Marie-Nuage est toujours aussi pessimiste. Quant à Marie-Soleil, elle est toujours aussi optimiste. Devenues adultes, les jumelles ont parfois voyagé ensemble, mais on aurait cru qu'elles avaient visité des lieux différents. L'une ne retenait que les bons côtés (il a fait beau, les paysages étaient merveilleux) ; l'autre se focalisait sur les désagréments (l'hôtel était inconfortable et la nourriture médiocre). Et l'histoire des sœurs jumelles se poursuit de nos jours...

Ces sœurs vous rappellent-elles certaines personnes ? Vous reconnaissez-vous dans cette histoire ?

*Un pessimiste est quelqu'un qui voit une difficulté*
*dans toute opportunité. Un optimiste est celui qui voit*
*une opportunité dans toute difficulté.*

WINSTON CHURCHILL

Lorsque nous parlons d'attitude, nous utilisons fréquemment l'analogie du verre d'eau à moitié plein ou à moitié vide. Ceux qui le voient à moitié plein sont considérés comme des gens optimistes et positifs, qui ne retiennent que le bon côté des choses, des personnes ou des situations. Les autres seraient donc des gens pessimistes et négatifs, qui verraient davantage le mauvais côté des choses, des êtres ou des situations. L'histoire des sœurs jumelles en est la parfaite illustration.

Certains croient à tort que les pessimistes le seront à jamais, qu'il est impossible de changer, que c'est une question de personnalité. Ils affirment, par exemple : « Je suis comme ça, ça fait partie de moi, j'ai déjà essayé de changer mais ça n'a pas fonctionné. » Mais rassurons-nous ! Bien qu'une partie de notre attitude soit influencée par notre personnalité, nous pouvons apprendre à adopter une bonne attitude, avec un peu de bonne volonté !

Ce qui importe avant tout, c'est d'être conscient de notre attitude actuelle et de vouloir sincèrement l'améliorer. De plus, lorsque nous comprenons les avantages d'une attitude optimiste, il est encore plus stimulant d'y mettre les efforts nécessaires. Bien sûr, changer d'attitude ne se fait pas en un claquement de doigts, mais c'est possible et la vie nous offre une multitude d'occasions de nous pratiquer à choisir l'attitude que nous voulons adopter. Une notion clé est la question du choix. Nous ne contrôlons pas tous les événements de la vie (accidents, maladies, mort, etc.), par contre nous avons la liberté de choisir notre attitude face à ces réalités.

## RÉFLEXIONS

L'une des premières conditions pour modifier notre attitude, c'est d'en prendre conscience. Nous devons d'abord déterminer s'il y a lieu de la modifier, identifier si la nôtre est appropriée et aidante. Je vous invite donc à imaginer quelle serait votre attitude face aux différentes situations proposées.

*Rien n'est ni bon ni mauvais en soi,*
*tout dépend de ce que l'on en pense.*

WILLIAM SHAKESPEARE

Évidemment, notre attitude n'est pas stable selon les circonstances. Parfois, il nous sera plus naturel d'opter pour une attitude favorable et optimiste. Par exemple, une femme qui n'est plus amoureuse acceptera probablement avec plus de facilité que son mari lui apprenne qu'il la quitte. Par contre, l'attitude d'une femme amoureuse sera défavorable. Il est donc primordial de développer une bonne connaissance de soi et de se rappeler que l'attitude que nous adoptons est influencée par notre passé, notre éducation, nos valeurs, croyances et perceptions.

Cela dit, tout ce qui nous prend par surprise crée un choc. Plus ce choc est important, plus il est possible que la réaction affecte défavorablement l'attitude, du moins le temps que l'événement soit digéré. Bien sûr, l'attitude adoptée et le temps mis à adopter une attitude favorable varient d'une personne à l'autre. De manière fort impressionnante, certains arriveront à préserver une attitude optimiste, malgré les expériences traumatisantes de la vie. Nous découvrirons plus loin comment ces gens font pour être d'éternels optimistes.

D'après vous, quelle attitude adopteriez-vous face aux situations qui suivent ?

**Un changement de direction au travail.**

_____
_____
_____

**Un congédiement.**

_____
_____
_____

**L'annonce d'une maladie grave.**

_____
_____
_____

**Un handicap physique.**

_____
_____
_____

**Un déménagement (professionnel).**

_____
_____
_____

**Une critique de la part d'un patron ou d'un collègue.**

_____
_____
_____

**Un enfant qui quitte la maison.**

_____
_____
_____

**Le décès du conjoint.**

_____
_____
_____

Vous avez peut-être réellement vécu une ou plusieurs de ces situations. Ainsi, vous avez pu identifier facilement l'attitude que vous aviez adoptée. Évidemment, la notion de temps joue un rôle déterminant dans l'attitude adoptée. Selon la gravité de la situation et le contexte, l'attitude peut être plutôt défavorable au début, puis, avec le temps, elle devient souvent plus favorable. Par exemple, l'attitude face à un congédiement variera selon que la personne aime ou non son travail, si elle vit seule ou avec des enfants, etc.

Toutefois, mis à part le contexte, l'attitude choisie déterminera à coup sûr la facilité avec laquelle la personne surmontera la situation. De la même façon, il m'est arrivé à plusieurs reprises d'entendre des personnes dire : « Si mon conjoint meurt avant moi, ce sera l'enfer ! » ou bien « Si je devenais handicapé, ma vie serait finie ! » Certains avouent qu'ils penseraient au suicide. Bien sûr, nous ne pouvons prédire avec exactitude l'attitude d'une personne face à un malheur. Toutefois, les pessimistes risquent d'avoir plus de mal que les gens qui entretiennent des croyances positives. Bien évidemment, tout le monde souffre à la mort du conjoint, mais une personne optimiste risque moins d'être anéantie et elle aura davantage accès à ses ressources personnelles.

Enfin, rappelons-nous que le but n'est pas de porter un jugement sur nos attitudes, mais bien de recueillir des informations que nous pourrons par la suite utiliser pour nous améliorer et éveiller davantage notre **plein potentiel.**

Finalement, que retenez-vous au sujet de votre attitude, de votre manière de réagir et de vous adapter aux différentes situations évoquées ?

_____

_____

_____

## L'ATTITUDE, C'EST CONTAGIEUX !

Il y a plusieurs années, j'enseignais dans un centre de formation professionnelle. Un jour, la direction, insatisfaite des employés de la cafétéria, embaucha du nouveau personnel.

Le lendemain, comme d'habitude, je me présente à la cafétéria pour commander mon petit-déjeuner et je constate que la nouvelle employée arbore un air sérieux, pour ne pas dire bête. Je me suis même dit : « Elle n'a pas l'air dans son assiette. » Les semaines passèrent et son attitude ne changeait pas. Chaque nouvelle journée semblait une corvée pour elle, si bien que des enseignants et des étudiants se sont plaints. Puis, un matin, alors que j'étais seule devant son comptoir, l'employée m'a dit avec un petit sourire : « Je vous dis au revoir, car c'est ma dernière journée de travail. Depuis que je suis ici, je suis malheureuse, parce que je suis mal à l'aise devant le public, je suis timide et les gens croient que je suis bête. Malgré mon attitude, vous avez toujours été gentille et polie envers moi, contrairement à certains de vos collègues. Je m'en vais travailler à l'usine, je suis sûre que ce travail me conviendra à merveille. »

Ce matin-là, j'ai découvert une autre personne en elle. J'ai réalisé qu'elle n'avait pas l'intention d'être désagréable, mais que sa timidité maladive la faisait agir de la sorte. Ce jour-là, je l'ai sentie libérée et je me suis rendu compte que ma façon d'être avec elle m'a valu cet « au revoir » qu'elle n'a pas offert à d'autres. Parfois, les gens réagissent d'une façon qui peut paraître incorrecte ou inacceptable, mais on est parfois étonné des raisons qui les poussent à agir ainsi.

Depuis ce jour, une phrase me revient souvent à l'esprit : « **Si je vivais ce que l'autre vit, je réagirais peut-être ainsi, moi aussi.** » C'est que les gens ont leur lot de problèmes qui influencent souvent leurs attitudes. Cette phrase me porte à être plus indulgente envers les autres.

Je crois donc qu'une autre manière d'en apprendre sur notre propre attitude est d'observer celle des autres face à nous, de prendre conscience de l'effet que nous avons sur les gens qui nous entourent. C'est la théorie du miroir. Les autres nous renvoient l'image de ce que nous dégageons. Par exemple, si je suis souriante et joviale, j'augmente mes chances que les personnes avec lesquelles j'interagis me rendent la pareille. Par contre, si je suis désagréable et maussade, les gens le seront sans doute avec moi. Ils me renverront l'image que je projette. Quand vous arrivez au bureau ou à la maison le sourire aux lèvres et de bonne humeur, comment les gens réagissent-ils ? De quelle façon se comportent-ils envers vous ?

J'ai souvent l'occasion le matin de pratiquer ce petit exercice, lorsque je m'arrête quelque part pour acheter un café. J'observe les préposés, qui sont la plupart du temps affairés et sérieux, comme la majorité des clients. De ce fait, les échanges sont plutôt impersonnels. Certains clients sont en retard, impatients, et se montrent déplaisants. Attitude que, généralement, les préposés leur rendent. Toutefois, il y a des exceptions. Il arrive qu'un préposé réponde avec calme et politesse à un client désagréable, et ce dernier se met presque toujours à sourire. À d'autres moments, c'est l'inverse qui se produit : la bonne humeur d'un client déteint sur un préposé maussade. Je vous avoue que je me donne à l'occasion ce genre de défi ! Quand je me retrouve en présence de personnes désagréables ou pessimistes, je tente de les faire rire ou de modifier leur attitude, simplement par le biais de ma propre conduite, et cela fonctionne ! Par exemple, je ne demanderai pas à une personne pessimiste comment elle va, mais : « Qu'est-ce qui va bien ? » Ainsi, je l'oblige à songer à ce qui va bien et non à ce qui va mal. J'affirme donc avec conviction que l'attitude est contagieuse et qu'elle est influençable.

Autre exemple : imaginons que l'ambiance au travail ou dans une famille est symbolisée par un grand bocal d'eau. Quand celle-ci est transparente, l'ambiance est neutre, ni agréable ni désagréable. Supposons ensuite que chacun des membres de l'équipe ou de la famille possède un verre rempli d'eau teintée selon son attitude. La personne souriante et de bonne humeur a une eau jaune, rose ou bleu pâle. Celle qui ronchonne sans cesse a une eau noire ou brune. Que se produit-il lorsqu'elles s'assemblent ? Chacun verse son verre d'eau (son attitude) dans le grand bocal dont l'eau prend la couleur des gens présents. S'ils sont heureux, l'eau du bocal aura de beaux coloris, mais il suffit d'un seul verre d'eau noire pour salir l'eau du bocal. Par la suite, il faudra beaucoup plus d'eau claire pour nettoyer cette eau contaminée et ainsi recréer un climat agréable.

Demandons-nous régulièrement : « Comment puis-je contribuer favorablement au climat du groupe ou de ma famille ? »

## UN CERCLE VICIEUX

Le cercle vicieux est la spirale négative dans laquelle nous pouvons nous retrouver lorsque nous échangeons avec une personne pessimiste. Par contre, nous pouvons aussi briser ce cercle en adoptant une attitude positive malgré notre interlocuteur désagréable. En agissant de cette manière, nous avons toutes les chances d'entraîner l'autre dans un cercle heureux !

## UN CERCLE HEUREUX

Le cercle heureux est une spirale positive entre deux personnes qui partagent des propos optimistes. Plus l'attitude d'une personne est positive, plus elle a de chances d'influencer favorablement son interlocuteur, et ainsi de suite. Je répète toutefois que cela n'est pas une garantie : il se peut que, malgré une attitude positive exemplaire de votre part, vous ne réussissiez pas à faire passer une personne du cercle vicieux au cercle heureux. Faites-le tout de même pour vous, dans le but de vous sentir bien ! Au nom de votre propre attitude !

En effet, bien que l'attitude soit contagieuse, il revient à la personne elle-même de décider celle qu'elle adoptera. De plus, en raison de lourdes difficultés personnelles (blessures passées, souffrance, frustrations, protection, etc.), certaines personnes ont du mal à adopter une attitude positive. C'est comme si leurs difficultés les poussaient à se comporter de manière défavorable, agressive, hostile. Le problème, c'est que souvent ces personnes ne sont même pas conscientes qu'elles sont prises dans un cercle vicieux. Dans certains cas, un accompagnement thérapeutique avec des professionnels en relation d'aide peut aider ces gens à se libérer de leur souffrance intérieure, souvent cachée, pour enfin adopter une meilleure attitude.

# 1 Mieux comprendre l'attitude

On définit l'attitude comme la manière dont nous nous comportons avec les autres. En psychologie sociale, on parle d'une disposition profonde, durable et d'intensité variable à produire un comportement donné. Enfin, l'attitude est une prédisposition à réagir positivement ou négativement à une situation ou à une personne donnée.

Cette manière de nous comporter est influencée par deux concepts importants : nos valeurs et nos croyances.

## LES VALEURS

Une valeur, selon *Le Petit Larousse*, c'est ce qui est « vrai, beau, bien, selon des critères personnels ou sociaux, et sert de référence, de principe moral ». Les valeurs sont donc des principes généraux et importants pour nous. Selon Schermerhorn, elles influencent nos jugements et nos actes, tant dans notre vie privée que professionnelle, et elles ont une portée générale et relativement stable. Ce sont comme des boussoles qui orientent notre destinée et guident nos choix et décisions.

Il est aussi possible de hiérarchiser nos valeurs, selon leur importance relative. C'est ce qu'on appelle l'« échelle des valeurs ». Vous serez invité à faire cet exercice.

Voici des exemples de valeurs :

- les responsabilités au travail ;
- la sécurité d'emploi ;
- la liberté financière ;

- la santé;
- la joie de vivre;
- la réalisation de soi.

Le psychologue Milton Rokeach divise les valeurs en deux grandes catégories: les **valeurs finales** et **valeurs les instrumentales**.

Les **valeurs finales** indiquent nos choix quant aux buts et objectifs que nous nous fixons dans la vie.

Les **valeurs instrumentales** concernent les moyens que nous prenons pour atteindre ces buts et objectifs. Elles indiquent comment nous nous comporterons pour parvenir à nos fins, selon l'importance que nous accordons aux moyens.

| Le classement des valeurs selon Rokeach | |
|---|---|
| **Valeurs finales** | **Valeurs instrumentales** |
| L'amitié authentique (camaraderie). | L'affection (tendresse et attachement). |
| L'amour accompli (sexualité et intimité). | L'ambition (travail acharné). |
| L'égalité (fraternité, égalité des chances). | L'entrain (humour et gaieté). |
| La beauté dans le monde (nature, arts). | L'honnêteté (sincérité, franchise). |
| | L'imagination (créativité, audace). |
| La liberté (indépendance, libre choix). | L'indépendance (autosuffisance). |
| La paix dans le monde. | L'intelligence (pensée, réflexion). |
| La paix intérieure (sérénité). | La bienveillance (altruisme). |
| La reconnaissance sociale. | La docilité (dévouement, respect). |
| La sagesse (maturité, discernement). | La largeur d'esprit (ouverture, tolérance). |
| La sécurité familiale (soin des proches). | La logique (rationalité, cohérence). |
| La sécurité nationale (défense du pays). | La maîtrise de soi (autodiscipline). |
| La volonté d'accomplissement. | La mansuétude (indulgence). |
| Le bonheur (bien-être). | La netteté (ordre, méthode). |
| Le confort (aisance). | La politesse (courtoisie, civilité). |
| Le plaisir (vie douce et agréable). | Le courage (force de défendre ses convictions). |
| Le respect de soi (estime de soi). | Le sens des responsabilités (sérieux, fiabilité). |
| Le salut (rédemption, vie éternelle). | Les capacités (compétences, efficacité). |
| Une vie passionnante (stimulation). | |

*Les valeurs, c'est ce à quoi précisément
on accorde de l'importance dans la vie.*

MILTON ROKEACH

Professeur de psychologie à l'université de l'État du Michigan

## Réflexion sur vos valeurs

Je vous invite à réfléchir sur vos valeurs et à établir leur hiérarchie, tant sur le plan personnel que professionnel.

Rappelons-nous que nos valeurs influencent nos choix et nos décisions !

De plus, puisque nos valeurs représentent ce qui est important pour nous, nous pouvons ressentir des frustrations, de l'insatisfaction ou de la fatigue lorsque nous ne sommes pas en mesure de les respecter. Par exemple, une personne pour qui la famille est une valeur importante, mais qui travaille de nombreuses heures par semaine, pourra ressentir tôt ou tard un malaise, un conflit intérieur, car elle ne respecte pas ses valeurs. Il m'est arrivé de rencontrer des gens au bord de l'épuisement professionnel, car depuis des années ils travaillaient dans une entreprise qui avait des valeurs totalement opposées aux leurs, par exemple en ce qui a trait à la productivité.

Pour mener à bien cette réflexion, je vous propose de vous référer à la liste des valeurs de Milton Rokeach. Vous devez inscrire vos dix valeurs actuelles, par ordre d'importance, sur les plans personnel et professionnel.

Pour vous aider, demandez-vous : « Qu'est-ce qui est important pour moi, dans ma vie personnelle et professionnelle ? » Les réponses vous aideront à déterminer vos valeurs. Un écart entre vos valeurs et votre vie réelle peut être source de difficultés émotionnelles.

| Échelle des valeurs | |
|---|---|
| Vie personnelle | Vie professionnelle |
| 1. | 1. |
| 2. | 2. |
| 3. | 3. |
| 4. | 4. |
| 5. | 5. |
| 6. | 6. |
| 7. | 7. |
| 8. | 8. |
| 9. | 9. |
| 10. | 10. |

La réalité de votre situation actuelle vous permet-elle de respecter vos valeurs ? Si oui, c'est merveilleux ! Sinon, quels changements pouvez-vous apporter pour vous rapprocher de vos valeurs ?

## LES CROYANCES

Selon *Le Petit Larousse*, la croyance est le fait de « croire à la vérité ou à l'existence de quelque chose ». Les croyances correspondent aussi à la représentation que nous nous faisons d'un individu ou d'une réalité.

Nos croyances, fondées ou non, reposent sur nos valeurs et influencent nos réactions et nos comportements. Dans son excellent livre *L'éveil de votre puissance intérieure*, Anthony Robbins raconte l'histoire de deux femmes qui célébraient leur soixante-dixième anniversaire, mais chacune percevait différemment cet événement. L'une *savait* que sa vie tirait à sa fin, que son corps se détériorerait et qu'elle devait régler ses affaires. L'autre femme, Hulda Crooks, *croyait* qu'à tout âge les capacités d'une personne dépendent de ses croyances et elle se fixa un idéal plus élevé. Elle décida que soixante-dix ans était l'âge idéal pour s'initier à l'alpinisme. Pendant les vingt-cinq années suivantes, M<sup>me</sup> Crooks se consacra à ce sport et gravit quelques-uns des plus hauts sommets du monde. Elle est d'ailleurs la plus vieille femme à avoir escaladé le mont Fuji.

Ainsi, nos croyances nous donnent raison. Il est donc important de choisir consciemment ce à quoi l'on croit.

# 2 Trois composantes de l'attitude

Nous allons maintenant décortiquer l'attitude dans le but de bien comprendre ses différentes composantes.

## UN SCHÉMA EXPLICATIF

Source: Ce schéma est adapté de: Schermerhorn, R., John *et al. Comportement et organisation*, 1994.

Le schéma démontre que nos attitudes ont des antécédents – nos croyances et nos valeurs – et qu'elles engendrent des conséquences qui se manifestent sous forme de réactions comportementales. Cependant, une attitude ne se solde pas nécessairement par un comportement: celui-ci peut rester au stade de l'intention comportementale.

Les antécédents sont les **composantes cognitives d'une attitude,** c'est-à-dire les croyances, opinions, connaissances et informations que nous possédons. Par exemple, la croyance selon laquelle votre poste ne comporte pas assez de responsabilités relève de la composante cognitive de l'attitude et repose sur cette valeur sous-jacente: pour vous, les responsabilités au travail sont importantes.

La **composante affective d'une attitude** correspond au sentiment particulier qu'on éprouve à l'égard de quelqu'un ou de quelque chose. Ce sentiment peut être agréable, neutre ou désagréable. C'est notre attitude en soi, par exemple : « Je n'aime pas cet emploi. » Ce sentiment détermine à son tour une intention de comportement : « Je vais démissionner. »

Une intention comportementale représente une prédisposition à agir, ce qui correspond à la **composante comportementale d'une attitude**.

Il importe de bien comprendre que la relation entre une telle attitude et un tel comportement n'est pas automatique. En effet, l'attitude débouche sur une intention comportementale, qui se concrétisera ou non, selon les circonstances. La concrétisation d'une intention de comportement dépend, entre autres, de notre liberté d'action et de notre expérience.

## LES COMPOSANTES COGNITIVES

Les composantes cognitives d'une attitude font référence aux croyances, opinions, connaissances et informations que possède un individu et qui engendrent l'attitude. Les composantes cognitives précèdent l'attitude. Il s'agit donc de conditions préalables à l'attitude elle-même.

## LES COMPOSANTES AFFECTIVES

Les composantes affectives sont les sentiments particuliers éprouvés par l'individu à l'égard de quelqu'un ou de quelque chose. Il s'agit de l'attitude elle-même.

## LES COMPOSANTES COMPORTEMENTALES

Les composantes comportementales représentent les intentions de se comporter d'une certaine façon en réponse à un sentiment. C'est le résultat de l'attitude, c'est-à-dire une prédisposition à agir d'une certaine façon. Ainsi, l'attitude débouche sur une intention comportementale qui peut se concrétiser ou non, selon les circonstances. La relation entre attitude et comportement n'est donc pas automatique.

# 3 Quelles attitudes mes croyances prédisent-elles?

On observe un dénominateur commun chez tous les protagonistes des histoires suivantes. De quoi s'agit-il?

*Il était une fois...*
Au début des années 1960, quatre jeunes musiciens se présentèrent à une audition dans l'espoir d'obtenir un enregistrement à la Decca Recording Company. Le comité de sélection fut loin d'être impressionné. Le jugement tomba et on leur demanda de se retirer: «Nous n'aimons pas votre musique. De toute façon, les groupes de guitaristes sont de moins en moins populaires.» Ce groupe s'appelait The Beatles.

Un des plus grands inventeurs américains fut renvoyé de l'école quand il était jeune. On disait qu'il était trop lent à comprendre. Sa mère lui fit donc l'école à la maison et à dix ans il avait son propre laboratoire de chimie. Quand il mourut, en 1931, il possédait plus de 1300 brevets, dont ceux du phonographe et de l'ampoule à incandescence. Cet homme s'appelait Thomas Edison.

Le directeur du programme radiophonique *Grand Ole Opry* congédia un jeune chanteur après sa première apparition publique. «Tu n'iras nulle part, lui dit-il, tu ferais mieux de retourner conduire ton camion.» Ce jeune chanteur s'appelait Elvis Presley.

Le dénominateur commun de ces histoires est que les protagonistes **croyaient** en leur talent. Ils ne se sont pas laissés abattre par les critiques, car ils savaient de quoi ils étaient capables. Les croyances sont excessivement puissantes, elles dirigent notre vie et peuvent nous guider vers le succès ou l'échec. À vous de choisir!

Nous avons vu dans la section précédente que les croyances sont une composante très importante de l'attitude. Nous allons donc réfléchir à nos croyances. Vous serez invité à explorer vos croyances actuelles quant à différents sujets, par exemple vous-même, votre travail, etc. Ensuite, vous analyserez ces différentes croyances pour déterminer si elles vous poussent à adopter une attitude favorable ou défavorable, selon les circonstances de la vie.

Rappelons que les croyances sont considérées par la personne comme des vérités. Ce sont en quelque sorte des **certitudes**. Elles exercent donc une grande influence! Toutefois, elles peuvent être modifiées et remplacées, si nous trouvons des contre-exemples ou des preuves du contraire.

Nos croyances déterminent la signification que nous donnons aux événements et la façon dont nous les interprétons. Puis, comme on l'a vu dans le chapitre sur l'intelligence émotionnelle, ce sont nos perceptions qui déterminent nos émotions. Ainsi, ce ne sont pas les événements qui nous influencent, mais bien nos croyances qui se traduisent en idées et en perceptions. Pour diriger sa vie et choisir son attitude, il faut donc exercer un contrôle sur ses croyances.

> *La majorité des croyances sont des généralisations sur le passé et sont fondées sur nos interprétations d'expériences douloureuses ou agréables.*
>
> ANTHONY ROBBINS,
> *L'éveil de votre puissance intérieure*

## PLUS PUISSANTES QUE LES CROYANCES, LES CONVICTIONS

Les convictions sont des certitudes qui impliquent une grande intensité émotive. Nous pouvons créer une conviction en choisissant une croyance de base et en la renforçant à l'aide de nouvelles références encore plus fortes. C'est ainsi que nous transformons une croyance en conviction profonde.

Il est aussi possible de remplacer une croyance limitative par une croyance dynamisante en la remettant en question. Cela signifie qu'en nous posant des questions spécifiques, nous créons un doute par rapport à la croyance limitative et nous ébranlons ainsi la certitude qui donnait de la force à notre croyance. Ensuite, nous pouvons remplacer cette croyance qui nous limitait par une croyance qui nous dynamise.

## VOS CROYANCES SERVENT-ELLES OU NUISENT-ELLES À VOTRE ATTITUDE ?

Voici d'abord un tableau qui vous donne des exemples et vous permet de mettre en parallèle des croyances limitatives et des croyances dynamisantes quant à différents aspects de la vie.

| | Croyances limitatives (nuisibles) | Croyances dynamisantes (aidantes) |
|---|---|---|
| **Responsabilité personnelle** | Je n'ai pas le pouvoir de changer ma vie. Je ne sais pas comment aborder les choses difficiles. Je préfère demeurer dans la confusion plutôt que de prendre ma vie en mains. C'est la faute de mes parents si ma vie est en désordre. | J'ai le pouvoir de changer ma vie. Je peux découvrir comment aborder les choses difficiles. Je préfère prendre ma vie en mains plutôt que de rester dans la confusion. J'assume ce que je suis et je me prends en mains. |
| **Estime de soi** | Je ne suis pas à la hauteur. Je n'ai pas ce qu'il faut pour réussir. Je ne suis pas digne d'être aimé. Je ne mérite ni la prospérité, ni une relation affectueuse, ni la santé. Je ne suis pas assez intelligent. Je ne m'accepte pas ; je ne m'approuve pas ; je n'ai aucune capacité. | Je suis ce que je suis. J'ai tout ce qu'il faut pour réussir. Je suis digne d'être aimé. Je mérite la prospérité, une relation affectueuse, la santé. Je suis intelligent à ma façon. Je m'accepte ; je m'approuve ; j'ai certaines capacités. |

| | | |
|---|---|---|
| Attitude positive | La vie est dure.<br>La vie est une lutte.<br>Mon destin est de souffrir.<br>Ce que je fais ne change rien.<br>Je suis malchanceux.<br>Ça ne marchera jamais.<br>C'est impossible.<br>Je n'ai jamais réussi dans la vie. | La vie est belle.<br>La vie est facile.<br>Mon destin est d'être heureux.<br>Ce que je fais change des choses.<br>Je suis chanceux.<br>Ça marchera.<br>C'est possible.<br>Je réussis dans la vie. |
| Adaptation au changement | J'ai besoin de sécurité pour me sentir à l'aise dans la vie.<br>Le changement est trop pénible et difficile, j'aime mieux que les choses restent comme elles sont.<br>Je n'ai pas la volonté nécessaire pour soutenir le moindre changement. | Je me sens à l'aise dans la vie.<br>Je m'adapte aux changements et je vois le bon côté des choses.<br>J'ai la volonté nécessaire pour surmonter tout changement. |

## Premier exercice :
## Identifiez quelques-unes de vos croyances

**Inscrivez certaines de vos croyances dans ces différentes catégories**

Vie personnelle :

_____

_____

_____

_____

Vie professionnelle :

_____

_____

_____

Vie familiale :

_____

_____

_____

Santé :

_____

_____

_____

*Et alors ? Vos croyances aident-elles ou nuisent-elles à votre attitude ?*
*Encerclez vos trois croyances les plus dynamisantes.*

## Deuxième exercice :
## Transformez une croyance en conviction

**Choisissez deux croyances dynamisantes que vous voulez transformer en convictions. Par exemple, la croyance suivante : Quand on veut, on peut !**

Pour transformer une croyance en conviction, il suffit de trouver des exemples qui confirment cette croyance. Je vous invite à trouver de nouvelles références qui appuient votre croyance et la rendent encore plus puissante.

*En voici quelques exemples :*
- Une femme qui a combattu quatre cancers et qui est actuellement resplendissante de santé.
- Un homme qui a surmonté des faillites personnelles et qui réussit aujourd'hui.
- Un étudiant qui a été refusé à trois reprises à l'admission d'un programme d'études, mais qui a persévéré jusqu'à ce qu'on l'accepte.
- Une personne qui consommait de la drogue depuis plusieurs années et qui a réussi à tout arrêter.

Notre société regorge de personnes s'étant dépassées dans diverses situations difficiles. Ces gens sont très inspirants, en ce sens

qu'ils nous montrent que ce que nous croyons vrai est effectivement possible.

Je vous invite maintenant à faire cet exercice très puissant,
pour transformer vos croyances dynamisantes en convictions.

**Ma première croyance dynamisante**

1 - _____

_____

Trouvez de nouvelles références qui viennent appuyer votre croyance et la
rendre plus puissante : _____

_____

**Ma deuxième croyance dynamisante**

2 - _____

_____

Trouvez de nouvelles références qui viennent appuyer votre croyance et la
rendre plus puissante : _____

_____

_____

# Troisième exercice :
# Remplacez une croyance limitative
# par une croyance dynamisante

Choisissez dans votre liste l'une des croyances les plus limitatives
que vous souhaitez remplacer. Je vous invite ensuite à répondre
aux questions suivantes qui vous permettront d'ébranler votre
croyance limitative.

1. Comment cette croyance affecte-t-elle ma vie quotidienne ?

_____

_____

2. En quoi cette croyance est-elle insensée ?

_____

_____

3. Si une de mes connaissances se retrouvait dans une situation semblable à la mienne, est-ce que j'arriverais aux mêmes conclusions ?

_____

_____

4. Que risque-t-il de se produire si je continue à entretenir cette croyance limitative ?

_____

_____

5. Si je n'abandonne pas cette croyance, en quoi peut-elle affecter mes relations ?

_____

_____

6. Quel est le prix à payer pour les gens qui m'entourent, si je continue à entretenir cette croyance limitative ?

_____

_____

7. Puis-je prouver ce que j'affirme ? Comment ?

_____

_____

8. Puis-je trouver des preuves du contraire (contre-exemples) ?

_____

_____

9. Quel prix finirai-je par payer en matière de santé si je n'abandonne pas cette croyance ?

_____

_____

10. Par quelles nouvelles croyances plus dynamisantes pouvez-vous remplacer cette croyance limitative ?

_____

_____

# 4 Des histoires qui inspirent

*L'histoire de W. Mitchell*

À 24 ans, W. Mitchell conduisait une moto sport quand soudain il a heurté un 18 roues, sous lequel il a glissé, il s'est produit une explosion et il a été brûlé sur 80 % de son corps.

Il a passé un an dans un centre pour grands brûlés. Il demandait aux gens qui venaient le visiter de lui lire des histoires drôles et des histoires de gens qui ont surmonté de grandes épreuves.

Quatre ans plus tard, le même gars, W. Mitchell s'est retrouvé dans un petit avion qui s'est écrasé. Il est resté paraplégique à la suite de cet accident, confiné à une chaise roulante.

Cet homme fait aujourd'hui des conférences à travers le monde.

Quel message lance-t-il ?

L'histoire de W. Mitchell démontre bien que c'est ce qu'on fait avec ce qui nous arrive qui détermine comment on s'en tirera. Évidemment, W. Mitchell est une grande référence lorsqu'il est question d'adopter une bonne attitude, puisqu'il a décidé de faire quelque chose de positif avec ce qui lui est arrivé. Il a choisi d'aider les autres et de lancer un message d'espoir : « Si vous êtes malade et que vous devez rester au lit durant quelques jours, pensez à moi qui serai en chaise roulante toute ma vie ! » Il offre un message de sensibilisation, à la fois mobilisateur et motivant !

Je vous propose à présent de penser à des personnes de votre entourage qui réussissent à adopter une bonne attitude dans la vie, qui voient le verre à moitié plein, et non pas à moitié vide.

Comme nous l'avons vu, la bonne attitude de certains est innée et fait partie de leur personnalité. Toutefois, chacun peut apprendre à acquérir et à développer une bonne attitude ! Pour ce faire, il peut être utile de comprendre comment fonctionnent les gens qui ont une bonne attitude. Qu'est-ce qu'ils se disent ? Quelles sont leurs croyances et leurs convictions ? Comment pensent-ils ?

Les histoires inspirantes permettent de faire connaître des gens qui ont adopté une bonne attitude face aux difficultés. Ces personnes peuvent agir à titre de modèles.

Lorsque nous nous choisissons un modèle, cela signifie que nous nous efforcerons à suivre l'exemple de cette personne qui obtient déjà les résultats que nous souhaitons atteindre. Pour bénéficier pleinement de notre modèle, nous devons nous renseigner sur ses principales croyances et opinions. En imitant ce qui fonctionne chez quelqu'un d'autre, nous avons toutes les chances de réussir.

## Quatrième exercice : Des histoires qui inspirent

L'exercice consiste à identifier trois personnes de votre entourage qui ont vécu des épreuves importantes, mais qui ont su s'en sortir en adoptant une attitude positive. D'abord, nommez ces personnes et décrivez leur situation, puis tentez d'identifier leurs croyances aidantes et de reconstituer leur discours intérieur. Si possible, **adressez-vous directement à ces personnes.** Par la suite, lorsque vous vivrez des situations difficiles, vous pourrez emprunter certaines de leurs stratégies gagnantes. Ainsi, ces gens deviendront vos modèles !

| Nom | Situation | * Croyances aidantes | ** Discours intérieur |
|---|---|---|---|
| W. Mitchell | Brûlé et paraplé-gique | Il n'y a rien qui arrive pour rien.<br><br>Je peux nécessai-rement trouver un côté positif à ces événements. | Qu'est-ce que je vais faire ? (Plutôt que de se demander pourquoi, question à laquelle, de toute façon, il n'y a pas de réponse.)<br><br>Que puis-je faire pour aider les autres ? |
| | | | |
| | | | |
| | | | |

* **Croyances aidantes :** En quoi ces personnes ont-elles eu besoin de croire pour surmonter de telles épreuves ?

** **Discours intérieur :** Qu'est-ce qu'elles se sont dit ? Comment ont-elles perçu ces situations ?

Que retenez-vous de cet exercice ? Qu'avez-vous appris d'intéressant ?

_____

_____

_____

## BANQUE DE CROYANCES DYNAMISANTES

Je mets ici à votre disposition ce que j'appelle une « banque de croyances », ou un répertoire de croyances aidantes et positives qui ont le pouvoir de nous dynamiser. Inscrivez dans l'espace prévu à cet effet les trois croyances que vous retenez et que vous vous engagez à adopter. Attendez-vous à des surprises ! Vos comportements et attitudes vont se transformer car, rappelez-vous, nos croyances influencent nos émotions qui, elles, déterminent notre manière de nous comporter. Ainsi, en adoptant consciemment des croyances dynamisantes, vous contribuez à développer votre intelligence émotionnelle, donc à avoir une plus grande maîtrise de vous-même. Vous serez alors en mesure de déployer ce qu'il y a de meilleur en vous, votre plein potentiel ! Permettez-vous de voir de quoi vous êtes capable ! Vous pourrez ensuite choisir d'autres croyances dynamisantes à développer. Je vous encourage aussi à compléter cette liste en puisant dans vos propres croyances dynamisantes et dans celles des personnes qui vous inspirent.

## CROYANCES DYNAMISANTES

- Quoi qu'il arrive dans ma vie, je serai toujours capable de trouver des solutions.

- Quand on veut, on peut.

- Il n'y a rien qui arrive pour rien, tout événement a sa raison d'être, même si je ne la vois pas encore.

- Ce qui est désavantageux aujourd'hui pourrait être avantageux dans le futur.

- J'ai la conviction que tout ce que je touche, je le réussis.

- Le malheur est temporaire, il finit par passer.

- J'ai tout ce dont j'ai besoin pour faire ce que je veux.

- Il n'y a pas d'échecs, il n'y a que des résultats.

- Les erreurs sont des occasions d'apprendre.

- Tout est possible.

- J'ai en moi toutes les ressources dont j'ai besoin et je peux les utiliser quand je veux.

- Même les situations pénibles, je peux les supporter.

- Peu importe comment je suis, je vais plaire à certains et déplaire à d'autres, et c'est correct.

- Plus je fais d'efforts, plus j'augmente mes chances d'obtenir ce que je désire.

- Derrière chacune des difficultés que je rencontre se cache une opportunité ; à moi de la découvrir.

- Une porte qui se referme signifie qu'une autre s'ouvre.

# Réflexion sur les croyances dynamisantes

Si j'adopte la croyance selon laquelle je possède toutes les ressources dont j'ai besoin et que je peux les utiliser quand je veux, je modifierai mon comportement. En effet, plutôt que de me dire « Je ne suis pas capable, je n'y arriverai pas », je vais plutôt me demander : « De quelle ressource ai-je besoin ? Comment est-ce je me sens quand j'ai accès à cette ressource ? »

**Croyances dynamisantes que je retiens et que je m'approprie :**

1. _____

_____

De quelle manière l'intégration de cette croyance transformera-t-elle vos réactions, attitudes et comportements ?

_____

_____

2. _____

_____

De quelle manière l'intégration de cette croyance transformera-t-elle vos réactions, attitudes et comportements ?

_____

_____

3. _____

_____

De quelle manière l'intégration de cette croyance transformera-t-elle vos réactions, attitudes et comportements ?

_____

_____

# 5 Apprendre à se poser les bonnes questions

Les histoires inspirantes nous permettent de relever un point commun chez leurs protagonistes, point qui leur a assuré une attitude gagnante : la qualité des questions qu'ils se posent. Ces gens ont appris à se poser les questions qui leur permettent de se responsabiliser plutôt que de se poser en victimes, ce qui assure également l'action.

## LA QUALITÉ DES QUESTIONS DÉTERMINE LA QUALITÉ DE LA VIE !

Reprenons l'exemple de W. Mitchell. Comment a-t-il pu survivre aux brûlures sur les deux tiers de son corps et continuer à aimer la vie ? Et, quelques années plus tard, quand il a perdu l'usage de ses jambes dans un accident d'avion, comment a-t-il pu accepter d'être confiné à un fauteuil roulant, tout en trouvant le moyen d'aider les autres ?

*Réponse : Il avait des croyances aidantes et dynamisantes qui lui ont permis de choisir une bonne attitude.*

Ce n'est pas tout, W. Mitchell (comme tous ceux qui réussissent à adopter une bonne attitude malgré les difficultés) a appris à contrôler la perspective dans laquelle il voyait sa vie en **se posant les bonnes questions** ! Lorsqu'il s'est retrouvé à l'hôpital couvert de brûlures qui le rendaient méconnaissable, il était entouré de patients qui s'apitoyaient sur leur sort en se demandant : « Pourquoi le malheur s'abat-il sur moi ? Pourquoi la vie est-elle si injuste ?

Pourquoi devrais-je vivre infirme ? Pourquoi moi ? » W. Mitchell, lui, s'est plutôt demandé : « Comment puis-je me servir de cette expérience, de cet accident, pour aider les autres ? »

*Ce questionnement a changé sa destinée !*
Se demander « pourquoi moi » produit rarement des résultats positifs, parce que, très souvent, nous n'arrivons pas à répondre à ce genre de question. En outre, le pourquoi provoque révolte et ressentiment. Par contre, le fait de se demander comment se servir positivement de telle expérience permet de changer nos difficultés en forces, ce qui nous aide à devenir meilleur et à rendre le monde meilleur également !

## COMMENT LES QUESTIONS AGISSENT-ELLES SUR NOUS ?

Nous verrons dans cette section quelle influence peuvent avoir les questions sur notre attitude.

## Les questions modifient notre état

Le cerveau a besoin de faire du sens, il ne peut tolérer le vide. Alors, lorsque nous nous posons une question, nous cherchons à y répondre. Quand nous nous demandons sans cesse : « Pourquoi suis-je triste ou déprimé ? », le cerveau s'efforce d'y répondre coûte que coûte, de sorte que nous avons effectivement des raisons d'être triste ou déprimé ! Dès lors, nous risquons de rester dans un état d'esprit négatif, sans recours ni ressources. Voilà pourquoi il est toujours plus approprié de tourner la question autrement et de se demander, par exemple : « Comment puis-je transformer ma perception et mon état pour me sentir plus heureux ? »

## Les questions changent ce que nous avons omis

Lorsque nous nous sentons triste, c'est que nous avons en quelque sorte supprimé les raisons de nous sentir bien. Le processus de perception sélective est constamment présent dans notre manière de nous représenter la réalité. Face à une situation, nous effectuons nécessairement une sélection de l'information : nous conservons certaines données et en omettons d'autres.

Les questions orientent et concentrent notre attention sur certains aspects plutôt que d'autres, et elles déterminent ce que nous ressentons et faisons. Par exemple, lorsque nous nous demandons :

- Qu'est-ce qui va bien présentement dans ma vie ?
- Qu'est-ce qui me procure de la joie ?
- Qu'est-ce qui me fait ressentir de la gratitude ?
- Qu'est-ce qui me rend fier ?
- Quels sont les avantages de ce désavantage ?

Ce genre de questions dirige notre attention sur des aspects positifs de notre vie, que nous avons peut-être supprimés ou oubliés, parce que les situations difficiles influencent parfois notre traitement de l'information. Portez donc attention aux commentaires que vous émettez. Lorsque vous dites que tout va mal, demandez-vous : « Est-ce que *tout* va réellement mal ? Qu'est-ce qui va un peu mieux ? »

## Les questions nous aident à prendre conscience des ressources disponibles

Les questions ont également la puissance de modifier instantanément notre état d'esprit et elles nous permettent d'avoir accès à de nouvelles ressources et solutions.

Il est utile d'apprendre à distinguer les questions qui nous paralysent (comme le fameux « pourquoi ») de celles qui nous dynamisent. Apprenons à nous demander : « Comment puis-je changer cette situation ? Que puis-je faire ? » À ces questions, des réponses nous viendront nécessairement à l'esprit et nous permettront de découvrir des pistes de solutions insoupçonnées.

Puisque nous nous posons des questions de toute façon, pourquoi ne pas nous poser les bonnes ?

# 6 Cinq principes pour une attitude gage de succès

Ces cinq principes se veulent des guides pour nous aider à nous orienter. Il est louable de vouloir adopter une attitude qui sera un gage de succès, mais dans certains cas on pourrait ne pas savoir comment s'y prendre. Aussi, chacun de ces principes est-il associé à une question que nous pouvons nous poser. Les questions proposées sont orientées de manière que notre attention soit dirigée vers une réponse plus optimiste. Puisque les réponses que nous obtenons dépendent des questions que nous nous posons, apprenons à nous poser de bonnes questions !

Pour vous montrer comment utiliser les principes pour une attitude gage de succès, ainsi que les questions associées, je vais vous présenter un exemple pour chacun. La situation difficile sera : perdre son emploi !

## TRANSFORMER UN PROBLÈME EN OPPORTUNITÉ

D'emblée, peut-être vous dites-vous : « Il ne peut y avoir d'opportunité dans un problème. » Toutefois, il est toujours possible de trouver un aspect positif à chacune des situations que nous rencontrons. Il peut y avoir des cas où c'est moins évident, mais se poser la question c'est trouver la réponse. Il suffit d'y penser. Se demander comment transformer ce problème en opportunité, c'est admettre et affirmer qu'une opportunité se cache effectivement dans le problème. Et cela déclenche inconsciemment en soi un processus de recherche des opportunités possibles.

**Question à se poser :**
Comment puis-je transformer ce problème en opportunité ?

**Exemples de réponses :**
*Je ne suis peut-être pas heureuse d'avoir perdu mon emploi, mais puisque je ne peux rien y changer, et que la décision est définitive, je peux en profiter pour réfléchir à ce que je veux vraiment faire. Continuer dans le même domaine ou changer de carrière ? C'est peut-être l'occasion de passer à l'action et de réaliser un rêve latent.*

## IDENTIFIER LES AMÉLIORATIONS SOUHAITÉES

Ce principe provoque une projection dans le futur, c'est-à-dire qu'il nous invite à réfléchir à ce qu'on voudrait par rapport à cette situation. Demandez-vous ceci : si vous aviez une baguette magique, quels vœux feriez-vous en lien avec votre problématique actuelle ? Les réponses vous aideront à identifier les améliorations souhaitées. Vous pouvez aussi évaluer l'importance de vos souhaits selon une échelle de 0 à 10. Ensuite, demandez-vous ce qui devrait être différent pour que vous passiez à un degré de plus, par exemple de 4 à 5 ?

**Question à se poser :**
Quelles améliorations est-ce que je souhaite apporter à cette situation ?

**Exemples de réponses :**
*Accepter la perte de mon emploi et passer à autre chose. Trouver un emploi qui me permette de me réaliser, de m'accomplir et de remplir une mission sociale, pour participer à quelque chose de plus grand que moi !*

## PRÉCISER LES ACTIONS À PRENDRE

Il s'agit avec ce principe de mettre au jour les mesures que nous désirons prendre pour obtenir les résultats désirés. Pour respecter ce principe, il importe de réfléchir à ce que nous allons faire concrètement pour adopter une meilleure attitude. Jusqu'où sommes-nous prêt à aller afin d'obtenir ce que nous désirons ? Plus nous sommes précis, plus nous donnons des directives claires à notre cerveau. Nous limitons ainsi les confusions et ambiguïtés.

**Question à se poser:**
Quelles sont les actions concrètes et spécifiques que je m'engage à poser?

**Exemples de réponses:**
*Prendre rendez-vous avec un conseiller en orientation ou un coach de carrière. Me procurer un guide des métiers et professions. Rencontrer des gens qui font ce que je désire faire. Réaliser un plan d'action des différentes étapes.*

## DÉTERMINER CE QU'ON DOIT ÉLIMINER

Il s'agit d'identifier les réactions et les comportements qui ne sont pas souhaitables et qui nous empêchent d'adopter une attitude favorable. Nous saurons ainsi ce que nous ne devons plus faire, nous connaîtrons les comportements à éliminer pour obtenir ce que nous voulons.

**Question à se poser:**
Que dois-je éliminer pour obtenir ce que je désire?

**Exemple de réponse:**
*Arrêter de me dire que l'entreprise n'a ni respect ni considération pour me faire ça après plus de vingt années d'ancienneté. Cesser de répéter: « Pourquoi? Pourquoi moi, une employée fidèle et dévouée? »*

## S'AMUSER

Certains croient que pour réussir ses projets et avoir du succès, il faut absolument être sérieux. D'ailleurs, il est intéressant d'observer les gens lors d'une réunion d'affaires. Quelque chose de particulier se produit avant la réunion, durant la pause et après celle-ci: les gens rient. Autour d'un café et de beignes, ils font des blagues, ont du plaisir, mais dès que la réunion commence les sourires disparaissent souvent au profit d'un air sérieux ou professionnel, et il n'y a plus de place pour l'humour. Le travail, c'est sérieux! Mais qui a dit cela? Pourquoi ne pas permettre aux sourires, à l'humour et aux plaisanteries d'avoir leur place en tout temps. Ce n'est pas pour rien qu'on conclut souvent des ententes lors d'une partie de golf.

L'être humain aime le jeu. Lorsque nous nous amusons, nous accédons à des états de bien-être insoupçonnés, et notre créativité s'exprime plus librement. Nous sommes à la recherche constante du plaisir! Fort heureusement, on tend à respecter de plus en plus ce principe, même dans les entreprises. En effet, certains gestionnaires ont compris l'importante place qu'occupe le plaisir dans nos vies et ils l'utilisent comme un levier dans les organisations. Par exemple, l'auteur, conférencier et motivateur Jean-Luc Tremblay, aussi directeur général associé du Centre de santé et de services sociaux de Rouyn-Noranda et ex-directeur général du Centre hospitalier Rouyn-Noranda, enseigne dans les entreprises ce qu'il appelle la « PPLP », la « performance par le plaisir ». Selon cette philosophie, « le plaisir engendre la passion, la passion crée l'émulation, la créativité et le dépassement professionnel ». Le prochain chapitre traitera d'ailleurs de l'importance du plaisir dans notre vie personnelle et professionnelle – un élément clé de la philosophie de l'iceberg, nécessaire à l'épanouissement.

Le cinquième et dernier principe pour une attitude gage de succès consiste à nous rappeler l'importance de nous amuser et vise à nous faire découvrir une manière de rendre toutes nos activités plus agréables, de la plus banale à la plus importante.

Cessons donc de nous torturer et apprenons à rendre nos projets plus agréables! N'est-il pas plus facile d'exécuter une tâche en s'amusant?

*Comment puis-je faire ce que j'ai à faire tout en m'amusant, pour ainsi obtenir ce que je veux?*
Enfin, lorsque nous affrontons une difficulté, il est très utile, pour réussir à adopter une attitude adéquate, de découvrir une façon de s'amuser dans cette situation. Lorsque nous arrivons à le faire, déjà nous percevons la difficulté différemment.

**Question à se poser:**
Malgré tout, comment puis-je m'amuser dans cette situation?
**Exemples de réponses:**
*Profiter du confort du foyer pour entreprendre mes démarches d'employabilité. Me lever sans réveille-matin. Prendre le petit-déjeuner au lit en épluchant la rubrique des emplois dans les journaux.*

En respectant ces cinq principes, il est possible de développer un schéma de pensée qui modifie instantanément notre perspective et qui nous permet d'accéder aux ressources souhaitées. Je vous invite à vous exercer à utiliser les principes d'une attitude qui sera un gage de succès. Vous en ressortirez gagnant et grandi !

## L'HISTOIRE DE L'ÉCRITURE DE CE LIVRE

Depuis le début de ce chapitre, je vous parle de l'attitude. Je peux affirmer sans prétention que j'ai développé le réflexe de tenter de toujours voir le verre à moitié plein, et ce, dans toutes les situations, aussi difficiles soient-elle. Je vous avouerai par contre que je suis facilement tentée de faire les choses avec plaisir, ce qui aide énormément à voir le verre à moitié plein. Je vous ai invité au paragraphe précédent à vous demander : « Comment puis-je m'amuser dans cette situation ? » Moi-même, je me pose cette question quotidiennement. Par exemple, lorsque je termine l'écriture d'un livre, je prends toujours une semaine pour faire une relecture complète et pour faire des ajouts et des modifications. Ce travail est agréable, mais j'ai trouvé une façon de le rendre encore plus plaisant : je pars une semaine dans le sud pour le faire. C'est ma façon de joindre l'utile à l'agréable. J'ai pris cette habitude lorsque j'ai écrit mon deuxième livre ; je suis allée à Cuba pour écrire sur le stress et l'épuisement professionnel. Lorsque les vacanciers venaient me voir pour discuter et qu'ils apprenaient que j'écrivais un livre sur le stress à Cuba, cela les faisait bien rire. Quel paradoxe ! Écrire sur un sujet aussi sérieux, les deux pieds dans le sable au bord de la mer !

J'ai décidé de recommencer pour le présent livre. Au moment où j'écris ces lignes, j'ai une vue magnifique sur des palmiers, sur la mer et sur une magnifique piscine ! Comme c'est difficile, la vie ! Bien sûr, je blague. Mais je peux vous dire que cela contribue grandement à favoriser chez moi une bonne attitude.

Évidemment, il n'est pas nécessaire de partir en voyage pour avoir une bonne attitude, mais l'important est de se poser cette question : « Comment puis-je rendre ce que j'ai à faire plus agréable ? »

# S'exercer à appliquer les principes
## d'une attitude gage de succès

**Identifiez une situation problématique ou difficile que vous vivez actuellement :**

_____

_____

_____

_____

_____

_____

1. Comment pouvez-vous transformer ce problème en opportunité ?

_____

_____

_____

2. Quelles améliorations souhaitez-vous apporter à cette situation ?

_____

_____

_____

3. Quelles actions concrètes et spécifiques vous engagez-vous à poser ?

_____

_____

_____

4. Que devez-vous éliminer pour obtenir ce que vous désirez ?

_____

_____

_____

5. Malgré tout, comment pouvez-vous vous amuser dans cette situation ?

_____

_____

_____

# 7 Développer un vocabulaire au service de notre attitude

*Les mots que nous employons en affaires ou dans
notre vie personnelle ont une influence profonde
sur notre expérience de la réalité.*
ANTHONY ROBBINS, *L'éveil de votre puissance intérieure*

**Suis-je fatigué ou moins énergisé ?**

**Suis-je stressé ou excité ?**

**Suis-je découragé ou démotivé ?**

À la lecture de ces trois questions, vous avez peut-être pensé qu'elles expriment le même message. Nous verrons dans cette section en quoi le simple choix d'un mot peut faire une grande différence tant sur notre état intérieur que sur notre attitude.

Les mots sont des véhicules qui rendent possible l'expression de notre compréhension de la réalité. Ils permettent de nous représenter les choses et agissent en tant que références. La représentation que nous nous faisons des mots que nous utilisons est déterminante et elle influence notre attitude.

**Les mots associés à une expérience deviennent cette expérience.**
Par exemple, si je prononce le mot « mathématiques » et que vous adorez les mathématiques, il apparaîtra à votre conscience une expérience et des sensations agréables. C'est comme si tous vos souvenirs agréables en lien avec ce mot s'activaient à l'intérieur de votre conscience pour venir s'y coller. Par contre, si vous avez horreur

des mathématiques, ce mot réveillera plutôt vos expériences désagréables, créant ainsi une sensation intérieure désagréable.

Par ailleurs, si une personne se dit qu'elle est fatiguée, elle active dans son cerveau des schèmes de pensées associés à la fatigue, ce qui la fera se sentir encore plus fatiguée. Par « schèmes de pensées », je fais référence aux expériences antérieures, croyances, valeurs, perceptions et jugements. Cette personne aurait avantage à se dire qu'elle est moins énergique, ou plutôt calme ! Ainsi, elle éveillerait les expériences et souvenirs passés associés aux moments où elle avait de l'énergie. Voilà comment on dirige l'attention vers ce que l'on veut plutôt que vers ce que l'on ne veut pas.

De plus, il importe de préciser que la négation est un concept du langage. Le cerveau, pour conceptualiser la négation, doit nécessairement s'en faire une représentation. Par exemple, si je vous dis de ne pas penser à un canard rouge aux pattes bleues, à quoi pensez-vous ? Ainsi, lorsque vous vous sentez physiquement fatigué et que vous vous dites « je me sens moins énergique », votre cerveau doit se représenter le mot « énergique », et l'effet souhaité est obtenu, c'est-à-dire que l'attention est orientée vers l'énergie plutôt que vers la fatigue. Autre exemple : au lieu de dire que vous êtes « énervé », dites-vous que vous êtes « moins détendu ». Automatiquement, votre état intérieur en sera agréablement transformé !

Les mots nous rappellent donc nos expériences passées. De plus, la façon de nommer une expérience change immédiatement les sensations produites dans le cerveau. Par exemple : « La perte d'un emploi est-elle un échec ou un apprentissage ? » Si je crois que c'est un échec, cela fera resurgir plus ou moins consciemment toutes mes expériences en lien avec l'échec, ce qui risque de produire un état intérieur limitant. Alors que si je me dis que cette expérience est un apprentissage, il est plus probable que j'éprouve un ressenti favorable, puisque le mot « apprentissage » fait référence au cheminement et à l'évolution.

Quand nous utilisons un mot, il résonne en nous, nous l'entendons par le biais de notre dialogue intérieur et cela active notre système émotif, lequel est en rapport avec nos expériences personnelles. Certains mots amplifient positivement les émotions agréables ; je les appelle les mots **énergisants**, alors que d'autres sont à éviter, puisqu'ils engendrent sur les autres et sur soi-même une charge émotive négative ; ce sont des mots **polluants**.

Par exemple, se dire que nous sommes nul est associé à une référence personnelle comportant une charge très négative. Cette phrase active assurément d'autres émotions désagréables : doute, insécurité, tristesse, déception, etc., car les mots ont un effet bio-chimique réel ! Les étiquettes, c'est-à-dire les mots que nous utilisons, créent réellement des sensations et des émotions au niveau physiologique. Par conséquent, en modifiant un seul mot, il est possible de modifier entièrement le schéma émotionnel vécu.

## DES EXPÉRIENCES SAISISSANTES

Afin d'appuyer mes propos sur le choix des mots et sur leurs effets émotionnels et physiologiques, je relaterai des expériences saisissantes qui furent menées par le D$^r$ Masaru Emoto, diplômé en médecines alternatives. Grâce à des expériences sur l'eau congelée à – 5 °C, le D$^r$ Emoto mit en évidence la sensibilité de l'eau aux influences vibra-toires. L'eau serait donc un « capteur universel », puisqu'elle nous montre, selon les formes des cristaux, des photos belles ou laides re-flétant les pensées environnantes et l'attitude respectueuse ou non. Ces photos démontrent que, tel un enregistreur de sons, l'eau capte toutes les énergies et les fréquences. Ce qu'il faut savoir, c'est que les mots que nous utilisons ont tous une fréquence vibratoire. D'ailleurs, toute chose est vibration. La matière, en apparence solide, est composée d'énergie. L'énergie, ou la vibration entre les particules, donne l'appa-rence solide à la matière. Lorsque deux vibrations entrent en réso-nance, une nouvelle vibration naît de leur union. Cela dit, les expé-riences de la cristallisation de l'eau du D$^r$ Emoto démontrent comment des cristaux d'eau gelée sont influencés lorsqu'ils sont soumis à des stimuli non physiques. Il a d'abord exposé les cristaux en formation à de la musique, aussi bien du Beethoven que du *heavy metal*, puis il a photographié les résultats.

Ces expériences nous montrent que la musique influence la taille et la forme des cristaux de glace. Or, s'est demandé le D$^r$ Emoto, si les ondes sonores de la musique peuvent exercer un effet sur les objets physiques, qu'en est-il des pensées et des mots que nous utilisons ?

Le D$^r$ Emoto a alors étiqueté des bouteilles d'eau avec différents mots exprimant des émotions et des idées humaines. Il a utilisé des messages positifs, comme « merci » et « amour » ; mais aussi des messages négatifs, comme « tu me dégoûtes » et « je vais te tuer ». Le D$^r$ Emoto fut stupéfait de constater que, malgré l'absence d'effets physiques mesurables, l'eau réagissait à ces diverses expressions. L'eau influencée par les messages positifs a formé de magnifiques cristaux, tandis que l'eau aux étiquettes négatives s'est transformée en cristaux affreux et difformes.

Le lien intéressant que nous pouvons faire avec l'être humain est que notre corps est composé de 70 % à 90 % d'eau, selon les études. Nous pouvons donc croire que, comme les pensées influencent la cristallisation de l'eau, elles sont susceptibles de nous influencer, d'avoir un impact sur nous, tant au niveau de l'émotivité que de la physiologie. Ces résultats devraient nous conscientiser davantage aux bénéfices de développer un vocabulaire au service de notre attitude, et non contre elle.

## LES BÉNÉFICES DE CHOISIR CONSCIEMMENT SES MOTS

Les mots que nous utilisons agissent comme des programmations, ils sont des commandements auxquels nous nous soumettons. En modifiant notre vocabulaire, nous arriverons plus facilement à :

- Détruire des schémas qui nous privent d'une bonne attitude, en orientant notre attention sur ce qui est favorable et positif ;
- Faire naître en nous, instantanément, des sentiments différents ;
- Changer notre état intérieur, donc notre attitude.

Ainsi, en choisissant judicieusement les mots **énergisants** que nous utilisons pour décrire nos expériences, il est possible d'intensifier nos émotions, même les plus positives. Par contre, attention : les mots **polluants** peuvent nous anéantir.

*Devenir conscient du pouvoir des mots, afin de les choisir judicieusement ! Modifier ses expressions verbales a un effet sur les émotions, et par conséquent sur l'attitude.*
ANTHONY ROBBINS, *L'éveil de votre puissance intérieure*

Il est recommandé d'utiliser plus de mots dynamisants associés à une charge émotive positive. Un langage positif et constructif met en place des conditions propices à l'ouverture et il oriente vers la réceptivité. Je vous propose un exercice pour vous aider à prendre conscience des mots polluants que vous utilisez, pour ensuite les remplacer par des mots dynamisants. Bien sûr, il est possible que vous utilisiez déjà des mots positifs, mais pourquoi ne pas en profiter pour leur donner davantage de puissance et les rendre meilleurs, voire extraordinaires ! Pour ce faire, consultez le tableau et remplacez vos bons mots par de meilleurs.

## Cinquième exercice :
## Remplacer les mots polluants par des mots énergisants

| Mots polluants | Mots énergisants |
|---|---|
| 1. | 1. |
| 2. | 2. |
| 3. | 3. |
| **Mots énergisants** | **Mots extraordinaires** |
| 1. | 1. |
| 2. | 2. |
| 3. | 3. |

# Émotions négatives

| Expression | Se transforme en | Expression | Se transforme en |
|---|---|---|---|
| Anxieux | Inquisiteur | Frustré | Fasciné |
| Anxieux | Un peu inquiet | Frustré | Mis au défi |
| Apeuré | Excité | Furieux | Passionné |
| Appréhension | Défi | Humilié | Étonné |
| Blessé | Préoccupé | Humilié | Mal à l'aise |
| Ça pue | C'est un peu parfumé | Impatient | J'ai hâte |
| Confus | Curieux | Insulté | Incompris |
| Crainte | Émerveillement | Insulté | Mal interprété |
| Craintif | Émerveillé | Irrité | Froissé |
| Débordé | Je tourne à plein régime | Irrité | Stimulé |
| Déçu | Indifférent | Jaloux | Trop aimant |
| Déçu | Les résultats tardent | Je déteste | Je préfère |
| Dégoûté | Étonné | J'en ai ras le bol | La coupe déborde |
| Dépassé | À plein régime | Malade | Indisposé |
| Dépassé | Ça se bouscule aux portes | Nerveux | Plein d'énergie |
| Dépassé | Déstabilisé | Paresseux | Je refais le plein |
| Dépassé | En demande | Perdu | À la recherche de... |
| Dépassé | Maximisé | Pétrifié | Mis au défi |
| Dépassé | Mis au défi | Rejeté | Dévié |
| Dépassé | Occupé | Rejeté | Incompris |
| Déprimé | À un point tournant | Rejeté | J'apprends |
| Déprimé | Calme avant la tempête | Rejeté | Oublié |
| Déprimé | Pas dans mon assiette | Rejeté | Sous-estimé |
| Détruit | J'ai un revers | Seul | Disponible |
| Douloureux | Sensible | Seul | Temporairement solitaire |
| Échec | Contrariété | Stressé | Béni |
| Échec | J'apprends | Stressé | Occupé |
| Effrayé | Je me renseigne | Stressé | Plein d'énergie |
| Effrayé | Mal à l'aise | Stupide | J'apprends |
| Embarrassé | Conscient | Stupide | Je découvre |

| Embarrassé | Stimulé | Stupide | Peu débrouillard |
|---|---|---|---|
| En colère | Désabusé | Terrible | Différent |
| Épuisé | Je refais le plein | Triste | Réfléchi |
| Épuisé | Un peu fané | | |

| Mot énergisant | Mot extraordinaire | Mot énergisant | Mot extraordinaire |
|---|---|---|---|
| Aimant | Passionné | Excité | En extase |
| Aimé | Adoré | Excité | Exalté |
| Aimer | Adorer | Fantastique | Fabuleux |
| Aimer | Être enchanté | Fort | Invincible |
| Aimer | Se délecter | Gentil | Fantastique |
| Alerte | Plein d'énergie | Gentil | Spectaculaire |
| Amusant | Enjoué | Gonflé à bloc | En orbite |
| Attentif | Concentré | Heureux | Béni des dieux |
| Attirant | Séduisant | Heureux | En extase |
| Bien | À tout casser | Heureux | Exubérant |
| Bien | Fantastique | Heureux | Plein d'entrain |
| Bien | Gonflé à bloc | Intelligent | Doué |
| Bien | Impressionnant | Intense | Extrême |
| Bien | Parfait | Intéressant | Captivant |
| Bien | Plein d'énergie | Intéressé | Séduit |
| Bien | Radieux | Motivé | Compulsif |
| Bon | Inégalable | Motivé | Déterminé |
| Bon | Magique | Paisible | Serein |
| Bon | Sans pareil | Parfait | Extraordinaire |
| Bon | Super | Pas mal | Sans pareil |
| Bon | Vibrant | Pas mal | Super |
| Concentré | Plein d'énergie | Plein | Rassasié |
| Confiant | Assuré | Plein d'énergie | Gonflé à bloc |
| Confiant | À toute épreuve | Puissant | Invincible |
| Confiant | Centré | Rapide | Balistique |
| Confiant | Enhardi | Satisfait | Comblé |
| Confiant | Sûr de soi | Satisfait | Serein |
| Confortable | Du tonnerre | Savoureux | Fastueux |
| Content | Ravi | Splendide | Exubérant |
| Curieux | Fasciné | Splendide | Incroyable |

| Débrouillard | Brillant | Splendide | Phénoménal |
|---|---|---|---|
| Déterminé | À toute épreuve | Splendide | Stimulant |
| Du tonnerre | En extase | Splendide | Super |
| Enthousiaste | Excité | Stimulé | Gonflé à bloc |
| Éveillé | Stimulé | Super | En orbite |

# 8 Trucs pour choisir son attitude

*On ne choisit pas toujours les épreuves de la vie,
mais on peut toujours choisir notre réaction !*

**Qu'est-ce qui vous représente le mieux ?**

**Comment parle-t-on de vous ? Comment êtes-vous perçu par votre entourage ? Grognon ou bouffon ?**

**Quelle image désirez-vous projeter ?**

Bien que l'on puisse toujours choisir son attitude, ce n'est pas toujours facile à faire ! Je vous propose donc d'autres questions qui peuvent vous être utiles.

## LA PUISSANCE DU QUESTIONNEMENT

Pensez à une situation dans laquelle vous ne réussissez pas encore à adopter l'attitude que vous aimeriez.

1. Si je changeais d'attitude maintenant, qu'est-ce qui serait différent ?

_____

_____

2. Existe-t-il des moments où j'adopte déjà cette attitude désirée ?

_____

_____

3. Sur une échelle de 1 à 10 (10 étant l'attitude désirée), où est-ce que je me situe par rapport à l'attitude souhaitée ? Comment passer de 3 à 4, par exemple ?

_____

_____

4. Qu'est-ce qui me dynamise ?

_____

_____

5. Qu'est-ce que je veux vraiment ?

_____

_____

6. De quoi ai-je besoin en ce moment pour réussir ?

_____

_____

7. Comment puis-je y accéder ?

_____

_____

Je vous suggère fortement de répéter ce questionnement aussi souvent que nécessaire !

## SE FOCALISER

Afin de maintenir une attitude adéquate et optimiste, il est important de développer une routine quotidienne qui nous aide à acquérir des réflexes qui contribuent à favoriser cette attitude positive souhaitée.

Par exemple, réfléchir quotidiennement aux questions suivantes :

Présentement…

- quelle est ma principale source de bonheur?
- qu'est-ce qui me rend enthousiaste?
- qu'est-ce qui me satisfait?
- qu'est-ce qui me permet de m'estimer et d'être fier de moi?
- envers qui ou quoi est-ce que je ressens de la gratitude?
- qu'est-ce qui me passionne et me tient à cœur?
- quelles sont les personnes que j'apprécie dans ma vie?
- comment j'aide les autres?
- comment est-ce que je contribue à améliorer ma vie et celle des autres?

# Conclusion

---

© *La fourmi et le tracteur* (Dufour, 1997).

Un jour, Fifi la fourmi se reposait en admirant le château qu'elle avait construit avec tant d'efforts. Elle se disait que, maintenant, il ne lui restait plus qu'à profiter d'un tel labeur.

Soudain, elle entendit au loin comme un bruit sourd, mais ne s'en inquiéta pas outre mesure. Cependant, le grondement s'amplifiait en faisant vibrer le sol, si bien que, sans crier gare, un tourbillon infernal s'abattit avant que Fifi n'eût le temps de se préparer. En un rien de temps, un immense tracteur avait détruit son château, ne laissant derrière lui que de gigantesques crevasses.

« Voici le fruit de toute une vie englouti », se dit Fifi en regardant les débris.

Sans perdre de temps, Fifi se mit donc à la recherche d'une solution. Mais, malgré son acharnement et son ardeur au travail, elle se découragea peu à peu et finit par s'épuiser au pied de l'immense montagne d'embûches qui se dressait devant elle.

Comme Fifi somnolait sous le grand tournesol, sa copine la libellule vint la rafraîchir de ses ailes et lui souffler à l'oreille :

« Ma chère Fifi, avec toutes les connaissances que tu as acquises et toutes les expériences que tu as accumulées, tu es capable de construire un nouveau château encore plus beau que celui qui fut détruit. Peut-être pourrais-tu le construire dans un endroit plus calme, où il ne risquerait pas d'être écrasé de nouveau ? Tu es une fourmi remplie de ressources inépuisables. Le succès t'attend ! »

Quelque temps plus tard, les amis de Fifi se réjouirent de sa merveilleuse réussite et allèrent lui demander la recette de son succès.

**Quelle fut, d'après vous, la recette du succès de Fifi ?**

_____

_____

_____

_____

_____

_____

_____

_____

_____

_____

_____

_____

_____

_____

_____

_____

_____

L'attitude est quelque chose que l'on choisit. Tous les gens qui ont décidé d'avoir une bonne attitude dans la vie en sont récompensés. Les gens entretenant leur bonne humeur et une attitude positive arrivent plus facilement à atteindre leurs buts et à se réaliser pleinement. N'oubliez jamais que, quoi qu'il arrive, vous pouvez **choisir** votre attitude. La poursuite de votre **plein potentiel** implique nécessairement que vous choisissiez une attitude positive et constructive.

Dans la prochaine partie, nous aborderons le quatrième élément primordial de la philosophie de l'iceberg : le plaisir.

Préparez-vous à avoir du plaisir !

# QUATRIÈME PARTIE

## Le plaisir... ingrédient de la joie de vivre

Un matin, alors que j'étais dans ma voiture, en route pour aller donner une formation sur l'intelligence émotionnelle, l'animatrice d'une émission radiophonique populaire a posé la question suivante : « D'après vous, combien de fois un adulte rit-il dans une journée, comparativement à un enfant ? » J'ai été estomaquée par la réponse : un enfant de quatre ans rit trois cents fois par jour, tandis qu'un adulte rit tout au plus quinze fois. On parle ici d'individus qui sont en bonne santé psychologique et mentale, donc qui ne souffrent pas de troubles de l'humeur.

Que se produit-il lorsque nous grandissons ? Qui nous a dit ou appris que la vie d'adulte doit être absolument sérieuse et monotone ? Quoi qu'il en soit, il n'en tient qu'à nous, une fois adulte, de modifier nos perceptions et attitudes pour voir la vie d'un regard neuf.

Nous verrons dans ce chapitre l'utilité de remettre en question certaines croyances erronées concernant le plaisir. Nous comprendrons d'abord ce qu'est le plaisir, et nous en reconnaîtrons les différents types. Puis nous aborderons l'importance du plaisir au travail. Alors, pourquoi ne nous remettrions-nous pas à voir la vie avec le regard d'un enfant qui s'émerveille? Les enfants sont d'excellents maîtres pour les adultes qui s'éloignent parfois de l'essentiel qui se cache dans les choses simples de la vie. Pensons à un enfant qui s'amuse avec une branche, une boîte de carton, ou quelques cailloux qu'il a soigneusement choisis.

Ce livre parle de développer son **plein potentiel** et, croyez-moi, les gens qui ont atteint ce stade vous le diront: « La vie est un jeu. Il faut avoir du plaisir, sinon, à quoi bon être là? » Je suis tout à fait d'accord avec cette affirmation. Chaque être humain a un but ultime dans la vie: être heureux. Dans mon livre précédent (*Ces gens qui ont du succès, ont-ils vraiment plus de chance que les autres?*), je parle du dénominateur commun chez les gens qui ont du succès. Un des éléments-clés est qu'ils aiment ce qu'ils font et ont du plaisir à le faire.

# 1 La place du plaisir dans votre vie

### Premier exercice :
### Quand ai-je ressenti du plaisir ?

Quelles sont les dernières fois où vous avez éprouvé du plaisir dans votre vie personnelle ?

_____

_____

_____

_____

_____

Quelles sont les dernières fois où vous avez éprouvé du plaisir dans votre travail ?

_____

_____

_____

_____

_____

**Place à la réflexion...**

*Vous pouvez répondre à ces questions par écrit,
dans votre journal personnel, ou tout simplement par
la pensée. L'objectif est que vous puissiez vous situer
par rapport au plaisir !*

Tout d'abord, avez-vous réussi à identifier huit situations où vous avez ressenti, dernièrement, du plaisir dans votre vie personnelle et au travail ? Quel aspect de votre vie est le plus propice au plaisir ? À quand remontent vos derniers plaisirs ? S'agit-il de souvenirs récents ou éloignés ? (La réponse à cette dernière question peut être un indice quant à la place qu'occupe le plaisir dans votre vie.)

Enfin, quels types de situations vous procurent davantage de plaisir ? Par exemple, avez-vous plus de plaisir seul ou en groupe ? Le plaisir se manifeste-t-il lorsque vous faites des activités physiques ou intellectuelles ? Ces activités sont-elles abordables ou coûteuses ?

Nous verrons plus loin que les plaisirs n'ont pas à coûter cher, bien au contraire : les vrais plaisirs gagnent à être accessibles, tant pas leur coût que par leur facilité !

# 2 Des croyances erronées concernant le plaisir

Petit rappel : une croyance est une chose en laquelle on croit, qui est vraie pour nous. Il s'agit d'une vérité subjective. Toutefois, ce n'est pas parce que plusieurs personnes partagent une croyance, ou qu'une croyance a été transmise de génération en génération qu'elle est nécessairement vraie dans la réalité. En fait, je me suis rendu compte que plusieurs personnes entretiennent des croyances erronées (des perceptions fausses) au sujet du plaisir. Sachons qu'une croyance est fausse quand nous n'avons aucune preuve de ce que nous affirmons. De ce fait, nous devons remettre en question les croyances qui nous ont pour ainsi dire été imposées. Ces croyances erronées concernant le plaisir, je les appelle « croyances anti-plaisir » ! Évidemment, le fait d'entretenir des croyances anti-plaisir affecte notre capacité à ressentir ce plaisir ou à lui faire une place de choix dans notre vie. Je vous propose quelques exemples de croyances erronées et je vous invite à réfléchir à votre propre perception du plaisir.

Que signifie, pour vous, le fait d'avoir ou de ressentir du plaisir ?

_____

_____

_____

Quelles sont les croyances qui y sont rattachées ?

_____

_____

_____

D'après vous, vos croyances sont-elles réalistes ou irréalistes ?

_____

_____

_____

Où sont les preuves de ces croyances ? Sur quoi vous basez-vous pour affirmer de telles choses ?

_____

_____

_____

Maintenant, examinons quelques-unes de ces croyances qui sont peut-être vôtres !

### - Avoir du plaisir, ça doit absolument coûter cher.

Qui a dit cela ? Où est la preuve de cette croyance ? Il n'y en a pas. J'irai même jusqu'à dire que ce qui est souhaitable, c'est justement l'inverse : que ce qui nous procure du plaisir soit abordable. Pourquoi ? Parce que nous ne voulons pas que le plaisir soit restreint, et parce qu'il serait dommage de n'avoir du plaisir qu'une fois par année, par exemple lors des vacances d'été ! Mais rassurons-nous, il existe une multitude d'activités plaisantes et bon marché : regarder des films, prendre un bon thé, discuter avec une personne qu'on apprécie, etc.

### - Ça prend de l'argent pour avoir du plaisir.

Cette croyance reviendrait à dire que les gens peu fortunés n'ont jamais de plaisir ! Quelle absurdité ! Comme on l'a vu, il existe des moyens simples et peu coûteux d'avoir du plaisir, il suffit d'être créatif !

### - Avoir du plaisir exige beaucoup de temps et d'organisation.

Heureusement que cette croyance est fausse, car cela limiterait grandement nos occasions de ressentir du plaisir. En effet, à cause de notre rythme de vie effréné, il ne resterait plus beaucoup de temps pour le plaisir. Rappelez-vous que des activités aussi simples que la lecture ou que les promenades à pied n'exigent pas nécessairement de longues heures. En fait, une activité peut avoir une durée variable, selon le temps dont vous disposez. Il n'en tient qu'à vous d'identifier vos petits plaisirs !

*- On doit absolument avoir du plaisir vingt-quatre heures sur vingt-quatre pour être heureux!*

J'aimerais bien vous dire que c'est le cas, mais en réalité, la vie est parsemée de plaisirs qui ont un début et une fin. Bien que certains durent plus longtemps que d'autres, beaucoup sont éphémères et doivent être renouvelés constamment! De plus, nous devons employer prudemment le terme «absolument», car celui-ci crée inconsciemment une attente et nous risquons d'être déçu si la situation ne se déroule pas comme nous l'avions prévu. Rappelons-nous que dans la réalité rien n'est absolument nécessaire, mais plutôt souhaitable et préférable. Il est évidemment souhaitable d'éprouver du plaisir le plus souvent possible, mais il est normal de passer par des périodes moins plaisantes, moins riches en plaisirs. Bien que nous disposions en tout temps de la possibilité de choisir notre attitude, dans certains cas il n'est tout simplement pas approprié de choisir le plaisir. Dans ces cas-là, nous devons nous dire que c'est partie remise et qu'à la première occasion nous lui referons place!

*- Se faire plaisir, c'est prendre du temps pour soi.*

Cette croyance est vraie et fausse à la fois, en ce sens qu'il est possible de ressentir autant, voire plus de plaisir à donner qu'à recevoir. Par contre, il est important de doser et d'équilibrer les choses!

*- Je ne le mérite pas, je n'y ai pas droit, c'est égoïste.*

À mon avis, se faire plaisir est une manière saine de se ressourcer, de se nourrir et de se remplir. Ce n'est qu'une fois habité par une sensation de plénitude que nous pouvons redonner aux autres. J'aime cette analogie qui illustre ce que je me plais à appeler l'«égoïsme éclairé»: lorsque nous prenons l'avion et qu'on nous explique le fonctionnement des masques à oxygène, quelle est la première consigne? **Placez le masque sur vous d'abord, ensuite vous pourrez aider les autres.** Voilà un principe que nous devrions adopter pour nous déculpabiliser lorsque nous prenons du temps pour nous faire plaisir. Rappelons-nous cela: plus on se fait du bien à soi-même, plus on est en mesure d'en faire aux autres. Sinon, à force de toujours faire passer les autres avant soi, on finit par ressentir de l'insatisfaction et de la frustration.

Un jour, une mère monoparentale me raconta qu'un samedi matin elle ressentit un immense besoin de prendre un temps d'arrêt pour lire un peu, histoire de se ressourcer, mais ses deux filles voulaient absolument jouer avec leur mère. Pour ne pas leur faire de peine, la femme finit par céder et se mit à jouer avec elles. D'après vous, comment cela s'est-il déroulé ? Plutôt mal, car la mère était mal disposée. Il lui aurait sans doute été plus profitable de se reposer, pour ensuite jouer avec ses filles !

### - La représentation du plaisir est la même pour tout le monde.

Nous pouvons tous nous entendre sur le sens du mot « plaisir », selon la définition des dictionnaires. Par contre, chacun a une représentation subjective du plaisir. Je vous suggère cet exercice lors d'un souper en famille ou entre amis : demandez à chacun d'exprimer ce que signifie le plaisir et vous entendrez autant de conceptions qu'il y aura de personnes à table. Pour certains, le plaisir doit être présent dans la majorité de leurs activités, dont le travail ; pour d'autres, le plaisir est ponctuel, quand ils s'adonnent à telle ou telle activité.

### - Ce qui me fait plaisir fera plaisir à l'autre.

Souvent, quand une personne désire faire plaisir à une autre, elle lui offre quelque chose qui lui ferait plaisir à elle ! En effet, on donne ce qu'on aimerait recevoir (voir « Le pouvoir insoupçonné de la reconnaissance » à la page 101 »). Bien sûr, il est possible que nous fassions tout de même plaisir, mais nous pouvons nous tromper. Ce qui fait plaisir à l'un ne fait pas forcément plaisir à l'autre. C'est une question de goûts et d'intérêts personnels. Alors, pour vraiment toucher la personne à qui vous voulez faire plaisir, intéressez-vous à ce qui la passionne *elle* ! Ne croyez pas que, parce que vous aimeriez recevoir une bouteille de vin, ce cadeau fera nécessairement plaisir à l'autre ! Soyez plutôt à l'écoute de ce que l'autre fait pour vous, et vous aurez des pistes pour savoir comment agir.

Nous verrons plus loin que nous possédons tous trois besoins fondamentaux. Lorsqu'ils sont satisfaits, ils contribuent à nous faire ressentir davantage de plaisir. Toutefois, la manière de répondre à ces besoins peut varier d'une personne à l'autre.

**Autres croyances erronées :**

- *Il y a un temps pour rire et un temps pour travailler !*
- *Quand ça va bien, il ne faut pas trop le montrer.*
- *Un travail, ça doit d'abord être payant.*

*Une mère dit à son garçon :*
*« N'oublie pas que nous sommes*
*sur terre pour travailler.*
*– Ah oui ? Alors moi, plus tard, je serai marin ! »*

Que pensez-vous de ces différentes croyances anti-plaisir ?

_____
_____
_____
_____
_____
_____

Par quelles croyances réalistes et aidantes pourriez-vous remplacer vos croyances anti-plaisir ?

_____
_____
_____
_____
_____
_____

# 3 Des définitions importantes

Les gens ont fréquemment des conceptions différentes quant à la signification des concepts. Pour nous aider à mieux nous comprendre, nous allons définir ici les termes utilisés.

## LE PLAISIR

Le plaisir est le sentiment de bien-être que nous ressentons lorsque nous vivons des moments qui répondent à nos attentes et à nos besoins. C'est une source de satisfaction immédiate qui contribue de façon positive à enrichir notre qualité de vie.

Cela dit, nous n'avons pas tous les mêmes attentes et besoins. Sachons que plus nos attentes et nos besoins sont précis et spécifiques, plus il est possible que se produise l'« effet d'entonnoir ». Cela signifie que plus il y a de critères à satisfaire pour respecter les attentes et les besoins d'une personne, plus les occasions de ressentir du plaisir sont limitées.

Donc, en ce qui concerne le plaisir, mieux vaut la généralité. Ainsi, de plus nombreuses situations quotidiennes seront des occasions de plaisir. Par exemple, si je me dis : « J'aurai du plaisir quand je serai en vacances, à l'hôtel, avec mon conjoint et nos amis, lorsqu'il fera beau et chaud ! » Cet exemple exclut beaucoup de moments potentiels de plaisir, par exemple la planification du voyage, le trajet en avion, etc. De plus, le voyage ne se déroulera sans doute pas exactement de cette manière. Que risque-t-il d'arriver s'il pleut ? Être plus général dans ses attentes et ses besoins signifie qu'on peut se dire : « J'ai du plaisir maintenant, simplement à penser à mon

voyage, et peu importe comment il se déroulera je vais m'amuser. »
Le plaisir peut être présent au quotidien et non seulement dans des
moments spéciaux et exclusifs.

## LE RIRE

Lorsque nous rions, nous exprimons de la gaieté par l'élargissement
de l'ouverture de la bouche, et cela est accompagné d'expirations
saccadées plus ou moins bruyantes.

Cette définition technique du rire vous fait sûrement sourire !

J'aurais envie d'ajouter que le rire est un peu comme nos em-
preintes digitales : il est unique, propre à soi. Il nous distingue des
autres, tout en dévoilant certains aspects de notre personnalité. Par
exemple, une personne timide a souvent un rire retenu et peu
bruyant ; une personne extravertie rit plus facilement aux éclats.
Évidemment, nous ne pouvons tirer de conclusions scientifiques de
ces observations. Toutefois, une chose est sûre : notre rire parle. Il
est communicatif, c'est-à-dire que la manière dont nous rions révèle
notre état d'esprit. Sommes-nous en train de rire jaune, d'avoir un
fou rire, un rire timide ou nerveux ? Il faut savoir que dans bien des
cas le rire trahit la nervosité.

Petite anecdote : j'ai donné des ateliers sur l'intelligence émotionnelle dans des centres communautaires et des maisons de jeunes.
Dans la majorité des groupes il y avait des bouffons, qui s'éver-
tuaient constamment à divertir les autres. Pourtant, ces jeunes-là
cachaient souvent une grande gêne derrière leurs blagues. Pour eux,
le rire était une manière de dépasser leur timidité. J'invite donc ceux
qui se reconnaissent dans cette description à réfléchir à la cause de
leur timidité et à relire la première partie de ce livre, sur l'intelligence émotionnelle. Cela pourra les aider à identifier et à remettre
en question les idées qu'ils entretiennent intérieurement et qui causent leur gêne !

## L'HUMOUR

« Forme d'esprit qui consiste à présenter la réalité de manière à en
dégager les aspects plaisants et insolites » (*Le Petit Robert*). Il est

intéressant de constater que cette définition de l'humour ressemble beaucoup à ce que j'appelle la « capacité à dédramatiser ». En effet, quoi de mieux que de considérer les événements fâcheux de la vie sous l'angle de la plaisanterie pour les relativiser ! Apprenons à rendre insolites les situations qui, sur le coup, ont pu nous sembler des catastrophes !

*Une jeune fille se plaint à son amie :*
*« À tous nos rendez-vous, il m'offre des fleurs fanées.*
*– Eh bien, essaie d'arriver à l'heure... »*

À la lumière de ces définitions, il est à noter que rire et plaisir ne vont pas nécessairement de pair. Il est possible de ressentir du plaisir sans avoir besoin de rire. À cet effet, Jean-Luc Tremblay, dans *La performance par le plaisir*, précise ceci : « Il y a des situations où le rire n'est pas approprié et où il peut même venir briser le plaisir. » Par exemple, lorsque nous sommes à la bibliothèque ou au musée, un éclat de rire peut brouiller le plaisir éprouvé par la tranquillité et la joie de lire un bon roman ou de contempler une œuvre d'art. De même, lorsque nous nous concentrons sur un travail qui nous passionne, nous n'avons pas besoin de rire pour ressentir un immense plaisir. D'ailleurs, un éclat de rire pourrait nuire à notre concentration. Par contre, selon notre besoin, il pourrait servir à nous détendre. Rappelons-nous que le plaisir ne dépend que de la satisfaction de nos attentes et de nos besoins. Il variera selon les contextes, puisque nos attentes et nos besoins changent dans le temps. Quel est votre besoin actuel ? Concentration ou détente ?

**Petite suggestion :** si, lors de votre réflexion, vous vous êtes rendu compte que vous ne ressentiez pas souvent de plaisir, c'est peut-être l'occasion de revoir vos attentes et vos besoins !

## DEUX CATÉGORIES DE PLAISIRS

Nous avons vu qu'il existe une variété de plaisirs, mais il est possible, selon Robert J. Vallerand, de les regrouper en deux catégories : les plaisirs hédoniques et les plaisirs eudémoniques.

# Les plaisirs hédoniques

Ces plaisirs proviennent de satisfactions plutôt éphémères et ont une durée relativement courte. Nous devons donc les répéter fréquemment pour en ressentir les bienfaits.

Exemples de plaisirs hédoniques :

- Regarder un film qui nous plaît ;
- Prendre un bon repas sur une terrasse ;
- Lire un article sur un sujet qui nous passionne ;
- Recevoir un massage ;
- Assister à un spectacle (humour, théâtre, concert, etc.) ;
- Discuter avec une amie au téléphone ;
- Jouer au golf ;
- Marcher en forêt ;
- Cuisiner un mets qu'on aime.

Quels sont actuellement vos plaisirs hédoniques favoris ?

_____
_____
_____
_____
_____
_____
_____
_____
_____
_____

# Les plaisirs eudémoniques

Ces plaisirs sont obtenus par des réalisations dont l'objectif est la progression individuelle, le cheminement personnel. Puisqu'ils s'inscrivent dans le développement et l'accomplissement de la personne, les plaisirs eudémoniques ont des effets positifs plus durables. En outre, ils sont souvent plus gratifiants.

Exemples de plaisirs eudémoniques :

- Achever un dossier important ;
- Se dépasser dans un sport ou une activité que nous affectionnons ;
- Écrire un livre ;
- Rénover une maison ;
- Avoir des enfants ;
- Préparer un spectacle dans une discipline que nous aimons, le chant par exemple.

Quels sont actuellement vos plaisirs eudémoniques favoris ?

_____

_____

_____

_____

_____

_____

_____

_____

_____

_____

Bien que ces deux types de plaisirs soient bénéfiques, les plaisirs eudémoniques procurent les sensations les plus plaisantes !

# 4 Pourquoi avoir du plaisir dans la vie?

Pourquoi est-il important d'introduire le plaisir dans la vie quotidienne? Tout simplement parce que le plaisir fait du bien et rend heureux. Les émotions positives changent le mode d'activité du système nerveux et réduisent la production du cortisol, une hormone du stress. Lorsque le taux de cortisol est réduit dans le sang, la production de DHEA (une hormone antivieillissement) augmente. Donc, ses effets protecteurs et régénérateurs sont amplifiés (Childre et Martin, 2005). Ces raisons ne sont-elles pas suffisantes? De plus, la sensation de plaisir nous aide à dédramatiser et à relativiser les événements de notre vie. Le plaisir apporte de la légèreté et de la couleur. Une vie sans plaisir serait comme un film muet en noir et blanc! Une manière utile de vous donner le goût de faire de la place au plaisir dans votre vie est d'y associer des motivations positives et d'y donner un sens. Ces motivations sont personnelles et peuvent varier d'une personne à l'autre. Je vous invite donc à vous inspirer des quelques exemples qui suivent.

## QUELQUES AVANTAGES À RESSENTIR DU PLAISIR

- La détente et la relaxation.
- Les gens épanouis sont aimables.
- Le plaisir est source de créativité.
- Le temps passe plus vite.
- C'est bon pour la santé.

Quelles sont vos motivations à introduire du plaisir dans votre vie ?

_____

_____

_____

_____

_____

_____

## LE PRINCIPAL BUT DU PLAISIR

Le plaisir correspond au sentiment vécu par un individu qui trouve réponse à ses besoins. Voici d'ailleurs des exemples de besoins fondamentaux qui contribuent au développement de chacun :

- le contact avec les autres ;
- le développement du sentiment de compétence et le dépassement de soi ;
- l'autonomie (pouvoir choisir soi-même ce qu'on désire).

Lorsque ces trois besoins sont comblés, nous augmentons nos chances de ressentir du plaisir, et ce, avec plus de facilité ! Ces besoins sont présents chez tout être humain, mais à des intensités différentes.

### Pistes de réflexions
Réfléchissez à ceci : comment, dans votre vie, vous assurez-vous de satisfaire les trois besoins fondamentaux ? Donnez des exemples concrets.

### 1. Le contact avec les autres.
*Exemple :* Chaque semaine, je téléphone à une amie pour prendre de ses nouvelles.

_____

_____

_____

_____

_____

**2. Le développement du sentiment de compétence et le dépassement de soi.**

*Exemple :* Une fois par mois, j'assiste à une formation ou à une conférence sur le développement personnel.

_____

_____

_____

_____

_____

_____

**3. L'autonomie (pouvoir choisir soi-même ce qu'on désire).**

*Exemple :* Avant de prendre une décision, je réfléchis à ce que je veux vraiment, et je suis à l'écoute de mon ressenti face à la décision.

_____

_____

_____

_____

_____

_____

# 5 Les bienfaits du rire

Si vous avez déjà été hospitalisé ou si quelqu'un de votre entourage l'a été, vous savez que les hôpitaux ne sont pas des lieux des plus agréables.

## CONNAISSEZ-VOUS D$^r$ CLOWN?

Heureusement, un organisme de bienfaisance appelé D$^r$ Clown contribue à l'amélioration de la qualité de vie des patients hospitalisés. Des hôpitaux engagent des artistes professionnels, spécialement formés, des clowns thérapeutiques qui humanisent les soins par le jeu, l'imaginaire et la complicité avec les jeunes malades.

La prescription de D$^r$ Clown est simple : tendresse et fantaisie à volonté pour chaque malade. Traitement à répéter! D$^r$ Clown a compris l'importance de remettre un peu de plaisir dans la vie des personnes hospitalisées. Ceux qui désirent en savoir davantage sur cet organisme peuvent visiter le site Internet : http://www.drclown. ca/francais/accueil.htm.

Voyons maintenant les bienfaits associés au rire. Bien que le rire n'accompagne pas toujours le plaisir, il y est fréquemment associé. Nous verrons donc en quoi le plaisir, par le biais du rire, est bon pour nous sur les plans physiologique, psychologique, relationnel et professionnel.

# BIENFAITS PHYSIOLOGIQUES

*Saviez-vous que... rire pendant une minute,*
*c'est comme faire dix minutes sur une machine*
*d'entraînement physique?*
(TRADUCTION LIBRE)

## Le rire...

- diminue la pression sanguine;
- favorise l'oxygénation générale de l'organisme;
- réduit le taux de cortisol (hormone sécrétée en période de stress);
- favorise le système immunitaire (augmente la production des immunoglobulines A et des lymphocytes T);
- stimule le système cardiovasculaire;
- stimule à la fois les muscles du visage, les abdominaux et le diaphragme;
- masse les organes internes;
- diminue l'acidité de l'estomac;
- libère la respiration.

*Deux puces sortent du cinéma, l'une dit à l'autre:*
*« On rentre à pied ou on prend un chien ? »*

# BIENFAITS PSYCHOLOGIQUES

## Le rire...

- permet une libération émotionnelle et une réduction des tensions;
- favorise une humeur joyeuse et contribue à lutter contre la dépression, car il permet la production d'endorphines;
- permet de relativiser une difficulté et d'aplanir un conflit;
- assure une distance émotionnelle;

- constitue une diversion (il nous détourne temporairement de nos préoccupations);
- diminue l'anxiété et l'hostilité;
- augmente la confiance en soi.

Dans *L'intelligence émotionnelle au travail*, Hendrie Weisinger explique que le rire libère des endorphines dans le cerveau, hormones du plaisir qui nous aident à diminuer la perception de la douleur physique ou émotionnelle. Ce qui nous permet d'affirmer que le rire pousse le corps à produire ses propres analgésiques!

## BIENFAITS RELATIONNELS

*Le rire...*

- favorise la convivialité, le partage et l'établissement de liens entre plusieurs personnes;
- nous rend plus disponible pour autrui;
- assure davantage d'échanges;
- augmente la solidarité.

## BIENFAITS PROFESSIONNELS

*Le rire ...*

- assure une meilleure productivité;
- favorise la résistance à la pression;
- est source de créativité;
- augmente la capacité à résoudre des problèmes;
- améliore le climat de travail.

# 6 Certains sont-ils plus doués que d'autres pour le plaisir ?

Des études en psychologie démontrent que dès un très jeune âge les enfants cherchent à combler leurs besoins fondamentaux. Par exemple, un bébé qui établit un contact visuel avec sa mère ressent du plaisir. D'ailleurs, il est fréquent qu'un bébé qui arrive à saisir le jouet qu'on lui présente se mette à rire. C'est la même chose avec l'enfant qui lance des objets du haut de sa chaise. Il a du plaisir à voir l'adulte se pencher et il aime avoir un impact sur son milieu de vie à l'aide d'un geste autonome.

Bien que la recherche du plaisir soit inscrite chez les humains dès le jeune âge, certaines personnes ont une propension plus naturelle à avoir du plaisir facilement. Selon Robert J. Vallerand, professeur titulaire et directeur du Laboratoire de recherche sur le comportement social de l'Université du Québec à Montréal, il s'agit de personnes qui ont des **personnalités autodéterminées**, qui choisissent de vivre leur vie plutôt que de la subir. Les personnalités autodéterminées réussissent à tirer profit des activités ennuyeuses en se focalisant sur les apprentissages et en misant sur les défis. Par ailleurs, les gens dénués de personnalité autodéterminée se posent constamment ce genre de questions : « De quoi vais-je avoir l'air ? Qu'est-ce que les gens vont penser ? » Ainsi, ces personnes n'arrivent pas à tirer la part de plaisir qui leur reviendrait si elles pouvaient voir les choses autrement. La bonne nouvelle, c'est que le fait de posséder une personnalité autodéterminée relève de différents apprentissages en partie dus à l'environnement social et au comportement des parents. Par exemple, les parents qui ont placé leurs enfants dès un jeune âge en position de choix, en les respectant et en les supportant, ont contribué à aider au développement de personnalités autodéterminées.

Cela dit, que vous ayez eu ou non un environnement social propice et des parents adéquats, il n'est jamais trop tard pour commencer à vous comporter comme si vous possédiez une personnalité autodéterminée. Pour cela, je vous invite dès maintenant à :

- choisir de vivre votre vie, plutôt que de la subir ;
- tirer profit des activités ennuyeuses en vous focalisant sur les apprentissages et en misant sur les défis.

Une personnalité autodéterminée, c'est comme l'attitude : ça se développe à partir de l'état d'esprit dans lequel on choisit d'être !

Je vous invite à réfléchir aux situations où vous avez fait preuve d'une personnalité autodéterminée, dans votre manière de réagir et de vous ajuster à la réalité !

# 7 Développer son sens de l'humour

## LES DEUX PRINCIPAUX OBSTACLES À L'HUMOUR

Les deux principaux obstacles à l'humour sont la peur du ridicule et les croyances limitantes. En voici des exemples.

- Qu'est-ce que les autres vont dire de moi ?
- Si certains ne sont pas d'accord avec moi, c'est insupportable.
- Si je fais de l'humour, les autres ne me prendront plus au sérieux.
- Je n'ai jamais été drôle et ne le serai jamais.
- L'humour n'a pas sa place au travail, cela va déconcentrer les employés.

Quelles sont vos croyances limitantes face à vous-même et à l'humour ?

_____

_____

_____

_____

Il serait intéressant de confronter ces croyances en les remettant en question. Voici quelques questions pour vous aider dans cette démarche :

- Qui a dit cela ?
- Où est la preuve ?
- Sur quoi vous basez-vous pour affirmer qu'on se moquerait de vous ?

- Même si c'est désagréable, supporteriez-vous que les gens ne vous approuvent pas ?

## DES MOYENS D'Y ARRIVER

Je vous propose maintenant divers trucs pour vous aider à développer votre sens de l'humour. L'important, c'est que vous puissiez découvrir et créer votre propre style. Un style à votre image. N'oublions pas que le but premier est d'avoir du plaisir et de nous amuser !

√ **Se forcer à être ridicule.**
Il ne faut pas nécessairement attendre le bon moment pour rire et tourner les choses en ridicule, car ce moment pourrait ne jamais venir. Il s'agit donc de se pratiquer à rire par pur plaisir, de raconter les péripéties rigolotes qui nous sont arrivées.

√ **Utiliser la visualisation.**
Imaginez-vous en train de raconter des blagues et de faire rire les gens. Se voir, c'est le point de départ. De cette façon, vous vous préparez mentalement à rendre réel le changement voulu, en donnant une directive claire à votre cerveau. Plus vous pratiquerez la visualisation, plus l'humour vous sera naturel.

√ **Être attentif aux fous rires des enfants.**
Inspirez-vous des enfants autour de vous pour vous rappeler leur rire naturel, enjoué et franc.

*Un père à son fils :*
*« Où poussent les poires ?*
*– Sur un poirier.*
*– Où poussent les pommes ?*
*– Sur un pommier.*
*– Où poussent les dates ?*
*– Sur un calendrier. »*

√ **Se forcer à rire sans raison.**
Il s'agit simplement de provoquer des fous rires, sans raison. Forcez-vous à rire, et après quelques minutes vous constaterez que cela vous procure bien-être physique et détente psychologique.

√ **Caricaturer ses comportements et émotions.**
Mettez l'accent sur un comportement qui vous caractérise. Peut-être avez-vous l'habitude de marcher vite, de regarder constamment votre montre, ou peut-être avez-vous un tic que vous pouvez utiliser pour rire de vous-même !

√ **Apprendre à surprendre.**
Quoi de mieux que l'effet de surprise ? Inévitablement, après la peur, il y a le rire !

√ **Utiliser l'exagération.**
Lorsque vous racontez une histoire ou une anecdote, il peut être amusant d'exagérer certains détails, mais assurez-vous de la terminer en disant la vérité, pour éviter que votre crédibilité soit mise en doute. Les histoires de pêche en sont de bons exemples !

√ **Faire des jeux de mots.**
Certaines personnes ont le don de faire des jeux de mots spirituels. Si vous vous sentez moins à l'aise avec cette forme d'humour, pratiquez-vous !

*Quel fruit le poisson aime le moins ? La pêche !*
*Que préfèrent les abeilles dans le mariage ? La lune de miel !*
*Pourquoi travailles-tu de nuit ? Pour mettre mon travail à jour !*
*Avez-vous d'autres idées ?*

√ **Se pratiquer à raconter des blagues.**
Vous pouvez vous préparer à l'avance et avoir autant d'impact, sinon plus. Combien de fois vous arrive-t-il de commencer à raconter une blague et de devoir la modifier en cours de route,

parce que vous en avez oublié des bouts ! La préparation vous permettra d'éviter ces malaises.

Voici des sites Internet où vous trouverez des blagues :
www.blague.info/
www.blagues.net/
www.blagues.org/
www.humourqc.com/blagues.php
http://humour-blague.com/

# 8 Faciliter le plaisir en trois temps

Il sera ici question de trois aspects qui vous aideront à intégrer le plaisir à votre vie ! Je vous les présente en trois temps.

## CONNAÎTRE SES PASSIONS

Y a-t-il des activités qui vous passionnent au point où vous n'avez plus conscience du temps qui passe ? Une heure peut sembler très courte ou très longue, selon ce que nous faisons. Pourtant, il s'agit bien du même laps de temps : soixante minutes ! Ainsi, pour ressentir du plaisir dans la vie, vous devez découvrir vos passions. Malheureusement, nous ne faisons pas que ce que nous aimons dans la vie. Bien sûr, nous avons le pouvoir de faire des choix et de favoriser les activités que nous aimons, mais nous devons souvent faire certaines choses moins agréables. Cela dit, mieux nous nous connaissons, plus nous savons ce que nous aimons et ce qui nous passionne, et plus nous pouvons orienter nos choix en conséquence. Par contre, lorsque nous ne savons pas exactement ce que nous aimons, nous pouvons nous éparpiller pour tenter de nous faire plaisir, mais sans ressentir de satisfaction. Cela se produit quand nous faisons des choses qui ne nous passionnent pas. Alors, par souci d'économie d'énergie, de temps et d'argent, prenez le temps de réfléchir à ce qui vous fait vraiment plaisir. C'est seulement alors que vous pourrez intégrer le plaisir à votre vie quotidienne.

*Passons à l'action*
Nommez trois choses (activités, loisirs, etc.) qui vous passionnent vraiment ?

1. _____

_____

2. _____

_____

3. _____

_____

Je vous suggère de vous inspirer de ces passions pour choisir vos activités et vos projets !

Par exemple, dans mon cas, j'adore la lecture. Ainsi, lorsque je désire m'offrir un moment de plaisir, je me plonge dans un bon livre ou dans un magazine. Quand je dispose de plus de temps, je vais bouquiner à la librairie, pour le simple plaisir de voir les nouveaux titres. C'est simple et accessible !

## CHOISIR SES VALEURS

Comme nous l'avons vu, nous devons posséder certaines croyances pour qu'il nous soit possible d'adopter des comportements en lien avec le plaisir. Ces croyances sont supportées par des valeurs précises. J'aime représenter ce principe par l'image d'une table : la croyance, c'est le dessus de la table ; les valeurs sont les quatre pattes qui supportent cette croyance.

Je vous suggère donc, dans un deuxième temps, pour faciliter l'intégration du plaisir à votre vie, de développer la croyance suivante : *avoir du plaisir dans la vie, c'est important !* Cette croyance est supportée par les quatre valeurs suivantes : le bonheur (bien-être) ; l'entrain (humour et gaieté) ; la passion (stimulation) ; et le plaisir (ce qui est agréable).

*Je n'en reviens pas de l'impact des ordinateurs !*
*Dernièrement, j'ai demandé à mon petit-neveu de m'épeler*
*son prénom et il m'a répondu : « S-É-B-A-S-T-I-E-N... Enter. »*

Je vous invite à faire les réflexions suivantes : De quelles façons ces valeurs sont-elles présentes dans votre vie ? Si elles ne sont pas suffisamment présentes, que pourriez-vous faire, dès maintenant, pour les intégrer ?

Bonheur (bien-être) :

_____
_____
_____
_____
_____

Entrain (humour et gaieté) :

_____
_____
_____
_____
_____

Passion (stimulation) :

_____
_____
_____
_____
_____

Plaisir (ce qui est agréable) :

_____
_____
_____
_____
_____

Une autre façon de renforcer votre croyance selon laquelle avoir du plaisir dans la vie est important, c'est de vous donner des preuves de ce que vous avancez, des exemples concrets. Si le fait d'avoir du plaisir m'aide à gérer mon stress et à relativiser les événements de la vie, c'est une preuve de plus à l'appui de ma croyance !

## REMÉDIER À CE QUI NOUS DÉRANGE

Si nous attendons que ce qui nous dérange disparaisse magiquement, nous pouvons attendre longtemps. Que d'occasions de plaisir parfois gaspillées par négligence ! Il est en effet difficile de ressentir du plaisir quand on est préoccupé par quelque chose qui nous dérange. Parfois, il suffit de peu de chose, d'un détail, toutefois il peut être très irritant ou le devenir à la longue. Dans ces cas-là, toute notre attention est monopolisée par cet aspect qui nous empoisonne l'existence. Difficile alors d'être disposé à ressentir du plaisir ! Plutôt que de permettre aux éléments de notre environnement de nous déranger, agissons maintenant sur eux, par des mesures concrètes. Pour apporter des changements, vous devrez d'abord réfléchir et identifier ce qui vous dérange. Ensuite, vous serez en mesure d'y remédier.

---

© *Anecdote*

Deux Montréalais doivent aller périodiquement à Québec, mais ils ne consultent jamais leur carte routière, de sorte que leurs voyages se transforment toujours en enfer, spécialement lorsqu'ils cherchent à emprunter le pont de Québec. Ni l'un ni l'autre ne sait où aller, et ils se perdent, tournent en rond, font des détours. Ils pourraient simplement prendre le temps, avant le départ, d'établir un itinéraire précis, ce qui leur éviterait de ressentir de l'irritation, de la colère et de la panique. Pour vivre d'agréables moments de plaisir, cela n'en vaut-il pas la peine ?

Les irritants peuvent malheureusement nous empêcher de vivre pleinement le plaisir. Prenons l'analogie de la roche dans la chaussure : si nous allons nous promener en forêt et qu'il y a une roche dans un de nos souliers, nous aurons du mal à apprécier le paysage. Assurons-nous donc de reconnaître les situations dans lesquelles il y a des irritants et demandons-nous : « Qu'est-ce que je peux changer pour améliorer ma situation, de façon à éprouver plus de plaisir ? »

## Deuxième exercice :
## Remédiez à ce qui vous dérange

Premier obstacle à votre plaisir actuellement :

_____

_____

Moyens d'y remédier :

_____

_____

Deuxième obstacle à votre plaisir actuellement :

_____

_____

Moyens d'y remédier :

_____

_____

Troisième obstacle à votre plaisir actuellement :

_____

_____

Moyens d'y remédier :

_____

_____

*Histoire de notre chambre d'hôtel*

Je vous ai raconté que je suis allée en voyage à Cuba pour terminer l'écriture d'un livre. Laissez-moi vous relater une anecdote. Lorsque nous sommes arrivées à l'hôtel le premier soir, ma mère et moi, il devait être deux heures du matin. Comme c'était la première fois que ma mère voyageait dans le sud, je voulais que son séjour soit des plus agréables, d'autant plus que j'allais travailler et que je ne serais pas très présente pour elle pendant la journée. J'avais donc pris la peine de réserver une chambre confortable dotée d'une belle vue. En pénétrant dans la chambre, quelle ne fut pas ma surprise de constater qu'elle était des plus ordinaires et que le balcon donnait sur un immeuble en rénovation ! Je peux vous dire que, même si j'écris des livres sur l'art de voir la vie du bon côté et sur l'importance de gérer nos émotions, ma déception était grande. J'ai peu dormi cette nuit-là, pestant contre mon agent de voyages qui n'avait pas, à mon avis, fait son travail adéquatement.

Le lendemain matin, à la première heure, je me suis précipitée à la réception en arborant mon plus beau sourire et ma politesse exemplaire et j'ai demandé une autre chambre. À ma grande surprise, le préposé m'a répondu, en souriant, qu'il ferait son possible, puis, au bout de quelques minutes, il s'est penché vers moi comme pour me dire un secret : « J'ai une merveilleuse chambre pour vous, allez la voir et revenez m'en parler. Elle serait libre vers midi. » Comme j'étais soulagée ! Je peux vous dire que lorsque je parle de l'importance de tenter d'éliminer les irritants lorsque c'est possible, dans cette situation, cela prenait tout son sens.

Le reste de ma semaine s'est déroulé dans une chambre avec une vue imprenable sur la piscine, les palmiers et la mer au loin. Quel décor inspirant pour écrire ! Et, pour ma mère, cette expérience a été extraordinaire.

N'hésitez jamais à demander ce que vous voulez. J'ai pris cette habitude lorsque je vais au restaurant. Je demande toujours avec un grand sourire une table bien située, près du foyer ou d'une fenêtre. Même si on ne peut pas toujours satisfaire mes requêtes, la plupart du temps je suis agréablement surprise. Comme le physicien Pierre Morency le dit si bien : « Demandez, et vous recevrez ! » Comme je suis d'accord avec lui !

# 9 Le plaisir au travail

S'il y a déjà un bon moment que vous n'avez pas eu de plaisir au travail, il serait utile d'en examiner les causes possibles : soucis extérieurs au travail, moins de motivation et d'intérêts, besoin de défis supplémentaires, etc. Ensuite, il faut agir sur ces causes. Nous verrons que le plaisir au travail est plus que souhaitable : c'est un réel avantage !

## LES GENS HEUREUX PERFORMENT MIEUX

Selon Robert J. Vallerand : « Il apparaît que le monde du travail constitue le secteur où les gens ont le plus de difficulté à admettre qu'ils se laissent aller au plaisir. Il est encore mal vu d'avoir du plaisir en travaillant. Pourtant, éprouver du plaisir au travail est une véritable bénédiction, **car les gens heureux performent habituellement mieux que ceux qui s'ennuient !** »

Malgré l'évolution et la progression des technologies, encore aujourd'hui plusieurs personnes *subissent* leur travail, plutôt que de le vivre passionnément, en ayant du plaisir à le réaliser. D'ailleurs, il est intéressant de préciser que le mot « travail » vient du latin *trepalium*, « instrument de torture », ce que comprennent bien les gens qui subissent leur travail ! De plus, le mot travail désigne les efforts que l'on doit soutenir pour accomplir une tâche et parvenir à un résultat. Évidemment, il n'y a rien de mal à devoir fournir des efforts pour faire un travail, là n'est pas le problème, au contraire, les efforts donnent l'occasion de ressentir un sentiment de fierté et de réalisation de soi. Mais on doit tout de même se demander ceci :

Qui a dit que le travail doit absolument être sérieux, voire ennuyeux ? Et pourquoi sommes-nous encore si mal à l'aise d'avoir du plaisir au travail ? Pourtant, nous travaillerons en moyenne 86 400 heures au cours de notre vie. C'est énorme ! Tant qu'à travailler si longtemps, pourquoi ne pas en profiter pour avoir du plaisir et se réaliser ? Pour ce faire, il importe que nous donnions un sens à ce que nous faisons.

## DONNER UN SENS À NOTRE TRAVAIL

Comment fait-on pour donner un sens à notre travail ? Il suffit de prendre le temps de nous poser, une fois de plus, de bonnes questions.

Qu'est-ce qui est important pour moi dans mon travail ?

_____

_____

_____

_____

Quelles sont mes responsabilités ?

_____

_____

_____

_____

Quelle est ma contribution sociale ? En quoi est-ce que je contribue au bien-être des autres ?

_____

_____

_____

_____

Lesquels de mes talents puis-je mettre à profit dans mon travail ?

_____

_____

_____

_____

Un matin, lors d'un déjeuner d'affaires qui tirait à sa fin, une personne dit : « Je dois vous quitter, je m'en vais œuvrer ! » L'utilisation du mot « œuvrer » est ici fort intéressante, car elle permet de voir différemment le travail. Nous avons vu, dans la section sur l'attitude, l'importance de bien choisir les mots que nous utilisons. Quand on sait que le mot « travail » signifie « torture », nous aurions avantage à nous poser la question suivante : « Comment faire pour que le travail ne soit plus une torture ? » Par exemple, en utilisant le mot « œuvrer » (réalisation de quelque chose d'important) au lieu du mot « travailler », nous stimulons intérieurement des souvenirs et des expériences associés à des émotions agréables et dynamisantes, en lien avec la réalisation de quelque chose d'important, pour nous bien sûr.

À vous de choisir ce qui vous convient le mieux.

Pour ma part, je me plais à dire depuis des années que je n'ai pas l'impression de travailler, parce que j'ai du plaisir à faire ce que je fais au quotidien.

Rappelons que ce qui est important pour une personne ne l'est pas forcément pour une autre. Tous les emplois peuvent offrir des occasions de ressentir du plaisir, tout dépend du sens que chacun leur donne. Par exemple, en tant que psychothérapeute et conférencière, accompagner les gens dans le dépassement de leurs souffrances et de leurs difficultés vers un plus grand bien-être intérieur est une grande source de plaisir pour moi. Toutefois, j'ai moins de plaisir dans le domaine de la comptabilité, mais d'autres adorent œuvrer avec des chiffres. Voilà donc une question de goûts et d'intérêts, nous n'avons pas à juger, mais plutôt à découvrir ce que chacun aime dans son travail, où est la source du plaisir. Je pense aux parents qui ont des désirs très précis quant à l'avenir professionnel de leurs enfants. Bien sûr, ils leur souhaitent un emploi stable, avec de bons avantages, mais ils doivent comprendre que le réel bonheur est plus facilement ressenti lorsqu'on fait quelque chose qu'on aime et qui nous passionne. Ainsi, le plaisir vient plus naturellement. Quant à ceux qui n'aiment pas leur travail, qu'ils gardent espoir : il existe différentes options.

# DEUX OPTIONS À CONSIDÉRER

La première option est d'entreprendre des démarches de réorientation de carrière. Cela peut être un projet qui s'étale sur plusieurs années. Cette option demande certainement un investissement personnel, mais elle peut déboucher sur une grande libération. Il importe de réfléchir aux différents enjeux d'une telle décision, par exemple les aspects familiaux, financiers, etc. À vous d'y réfléchir !

Deuxième option : conserver son emploi, mais en modifier sa perception. Il faut donc agir sur le plan de nos idées. Rappelez-vous la partie sur l'intelligence émotionnelle : lorsqu'on ne peut changer la situation (voir le *Schéma des idées aux émotions*, à la page 52), nous avons le pouvoir de changer notre perception. Ainsi, en percevant notre travail autrement, il est possible de ressentir plus de plaisir dans la réalisation de nos tâches quotidiennes. Pour cela, il est intéressant de se poser les questions suivantes :

S'il y a un aspect que je préfère dans mon travail, quel est-il ?

_____

_____

_____

_____

Quel dialogue intérieur aurais-je avantage à entretenir face à mon travail (ou à une tâche particulière) pour ressentir davantage de plaisir ?

_____

_____

_____

_____

Quels aspects de mon travail suis-je en mesure de modifier (de faire différemment) afin d'éprouver plus de plaisir ?

_____

_____

_____

_____

## POURQUOI VOULOIR À TOUT PRIX RESSENTIR DU PLAISIR AU TRAVAIL ?

Avez-vous déjà remarqué comment la notion du temps peut être relative ? Dans certains cas, nous faisons quelque chose avec l'impression que trois heures ont passé, alors qu'une heure s'est écoulée. Dans d'autres cas, c'est l'inverse. Le dénominateur commun, quand le temps passe très vite, c'est que nous éprouvons du plaisir à faire ce que nous faisons. Alors, pour ne plus avoir besoin de compter les heures qu'il vous reste à travailler, trouvez une façon de ressentir du plaisir !

De plus, comme le dit Jean-Luc Tremblay, le plaisir au travail donne de l'énergie et de l'entrain, crée un mouvement positif et contagieux, met de l'huile dans la machine. Dans les entreprises, ressentir du plaisir au quotidien dans le travail est possible par des initiatives personnelles, par exemple : raconter une blague, faire un remerciement sincère, rendre service à un collègue, offrir une carte de vœux, etc., et les entreprises disposent généralement de comités pour planifier et coordonner des événements professionnels, sociaux, sportifs et récréatifs.

Pour donner le meilleur d'eux-mêmes, les gens doivent aimer ce qu'ils font et trouver du plaisir à le faire. Le plaisir nous permet de libérer notre créativité, donc d'avoir de meilleures idées, d'être plus détendu, et ainsi d'améliorer notre performance tout en se faisant du bien ! Que demander de mieux ?

# 10 Deux activités pour nous aider à intégrer le plaisir

## LA BOÎTE À PLAISIRS

Il s'agit de vous procurer deux petites boîtes décoratives. L'une servira à vos plaisirs dans votre vie personnelle et l'autre, à vos plaisirs dans votre vie professionnelle.

Inscrivez ensuite sur une feuille différentes sources de plaisirs simples et accessibles pour vous, au travail et dans votre vie personnelle. Découpez-les et déposez-les dans leur boîte respective. Quand vous souhaiterez saupoudrer du plaisir dans votre vie et dans celle de votre entourage, il vous suffira d'en piger un et de le réaliser.

| Plaisirs dans la vie professionnelle | Plaisirs dans la vie personnelle |
|---|---|
|  |  |
|  |  |
|  |  |
|  |  |
|  |  |
|  |  |
|  |  |

# FAIRE PLAISIR AUX AUTRES, C'EST AUSSI SE FAIRE PLAISIR !

Je vous invite à noter ici quelques-uns des petits plaisirs que vous avez découverts tout au long de ce chapitre.

_____

_____

_____

_____

_____

_____

Maintenant, il est très simple de faire le parallèle : il est fort probable que certaines choses qui vous font plaisir feront également plaisir aux gens de votre entourage. De plus, vous pourriez les surprendre et leur faire découvrir de petits plaisirs qu'ils ne connaissaient pas. Évidemment, la meilleure façon de faire plaisir aux autres est d'être à l'écoute de leurs attentes et de leurs besoins. Il est possible de le faire en les observant ou tout simplement en leur demandant des exemples concrets de ce qu'ils veulent dire.

*Une maman moustique prévient ses petits :*
*« Ne vous approchez jamais des humains,*
*ils essaieront de vous tuer.*
*– C'est faux, maman. Hier, il y en a un qui a passé*
*la soirée à m'applaudir ! »*

Lorsque vous aurez des idées intéressantes, choisissez les personnes auxquelles vous allez faire plaisir. Vous pouvez répéter l'exercice chaque jour, chaque semaine ou chaque mois, selon votre goût. Vous pouvez faire un suivi en inscrivant dans le tableau qui suit le nom de la personne choyée, la date et le plaisir donné. Enfin, la case « Notes » vous permettra d'inscrire vos observations et commentaires.

## Plan d'action

**Exemples de plaisirs**

• Faire un compliment.
• Offrir une carte de vœux à quelqu'un qu'on apprécie.
• Apporter des beignes.
• Offrir une collation qu'on a faite soi-même : biscuits, muffins, carrés aux dattes, etc.
• Apporter un café au lait à un collègue.
• Rendre service à quelqu'un qui est débordé.
• Écrire aux gens de petits mots sympathiques.
• Offrir des fleurs pour souligner une occasion spéciale.
• Offrir de menus cadeaux (crayon, tasse, signet au nom de la personne).
• Demander aux gens comment ils vont.
• Transmettre une blague ou une belle image par courriel.

| Nom de la personne et plaisir choisi | Date |
|---|---|
| | |
| | |
| | |
| | |
| | |
| | |
| | |
| | |
| | |
| | |
| | |
| | |
| | |
| | |
| | |
| | |
| | |

# Conclusion

Le plaisir, dans la vie...

- c'est d'abord une **décision,** d'où s'ensuivent des actions précises.
- c'est une responsabilité individuelle.
- protège et maintient la motivation.
- c'est faire plaisir aux autres.
- c'est se poser les bonnes questions.
- c'est une façon saine de relâcher les tensions.

Maintenant que nous comprenons l'importance du plaisir dans notre vie personnelle et professionnelle, nous sommes en mesure de poser des gestes concrets pour remettre du plaisir dans notre vie. Cela facilitera grandement l'atteinte du dernier élément de la philosophie de l'iceberg : la motivation. En effet, dans la prochaine partie, nous nous demanderons comment nous motiver en tant qu'individus.

Je dois maintenant vous quitter quelques instants, car le soleil est de la partie et je crois que je vais aller prendre du temps pour avoir du **plaisir**... dans la mer avec ma mère !

Quel boute-en-train je suis !

*Un crocodile rencontre un chien :*
*« Salut sac à puces !*
*– Salut sac à main ! »*

# CINQUIÈME PARTIE

## La motivation

Le principe suprême de la motivation est l'enthousiasme. La motivation est un état d'esprit, une disposition intérieure, et non pas quelque chose que nous trouvons à l'extérieur. Lorsque nous ressentons de l'enthousiasme pour une activité, c'est que nous sommes habité par une ardeur, une grande excitation, voire une exaltation, ce qui fait en sorte que nous éprouvons alors de la motivation. Lorsque nous sommes motivé, il est plus facile de prendre des initiatives, de persévérer et d'optimiser notre efficacité pour ainsi atteindre nos objectifs.

Avant d'aller plus loin, je vous demanderais de réfléchir à ces questions : Comment savez-vous que vous n'êtes pas motivé ? Comment savez-vous qu'une personne de votre entourage manque de motivation ? Quels sont les signes qui nous permettent de savoir que la motivation fait défaut ? Pour répondre à cette dernière question, rappelez-vous la dernière fois où vous avez manqué de motivation. Comment vous étiez-vous comporté ?

# 1 À quoi reconnaît-on le manque de motivation?

**Quelles sont vos observations?**

_____
_____
_____
_____
_____
_____
_____
_____
_____
_____
_____
_____

Cette question est très importante, car elle nous permet de prendre conscience de l'existence d'une panne de motivation. Lorsque nous savons reconnaître les signes de l'absence de motivation, nous sommes en mesure d'agir plus rapidement pour y remédier.

Il faut savoir que nous déployons davantage d'énergie quand nous exécutons une tâche sans être motivé. Nous sommes donc plus fatigué et malheureusement moins satisfait. Le tableau suivant contient des exemples de signes qui indiquent le manque de motivation. Ceux-ci peuvent être nombreux et ils varient selon les individus.

En plus d'avoir des comportements et attitudes spécifiques lorsque nous manquons de motivation, nous ressentons une multitude de sentiments et d'émotions désagréables qui affectent notre manière de réagir et de nous comporter.

### Sentiments générés par le manque de motivation

- Isolement
- Frustration
- Découragement
- Inquiétude
- Crainte, etc.

Je crois que tout y est pour nous donner envie d'être davantage motivé !

*Le mot motivation est dérivé du latin,* movere, *qui signifie bouger, se mouvoir.*

# DÉFINIR LA MOTIVATION

La motivation est souvent comparée à un feu intérieur ou à un moteur qui nous stimule et nous met en action. C'est aussi cette énergie intérieure qui nous permet d'orienter nos actions et de soutenir nos efforts, même dans les moments difficiles. Lorsque nous sommes motivé, nous avons l'énergie et la force de persévérer pour atteindre notre but.

Selon *Le Petit Larousse*, la motivation est l'«ensemble des motifs qui expliquent un acte», et elle désigne le «processus physiologique et psychologique responsable du déclenchement, de la poursuite et de la cessation d'un comportement».

Selon *Le Petit Robert*, la motivation est l'«action des forces (conscientes ou inconscientes) qui déterminent le comportement (sans aucune considération morale)».

En psychologie, la motivation est l'ensemble des facteurs dynamiques qui orientent l'action d'un individu vers un but donné, déterminent sa conduite et provoquent chez lui un comportement donné ou modifient le schéma de son comportement présent.

J'aime bien, lorsque nous avons différentes définitions d'un même concept, en souligner les éléments communs. Voici donc quatre mots-clés à retenir lorsqu'il est question de motivation.

1. **Canaliser**: La motivation permet d'acheminer l'énergie dans une direction déterminée en limitant l'éparpillement ou la dispersion.
2. **Orienter**: La motivation est l'art de nous tourner et de diriger notre attention dans une certaine direction.
3. **Persister**: La motivation nous permet de demeurer ferme, constant dans nos décisions et nos actions.
4. **Dynamiser**: La motivation nous fait agir avec entrain, énergie et efficacité.

Enfin, selon Daniel Goleman, la motivation consiste à utiliser nos envies les plus profondes comme une boussole qui nous guide vers nos objectifs, nous aide à prendre des initiatives, à optimiser notre efficacité et à persévérer malgré les déconvenues et les frustrations.

Selon Schermerhorn, dans les organisations, on définit la **motivation au travail comme l'ensemble des énergies qui sous-tendent l'orientation, l'intensité et la persistance des efforts qu'un individu consacre à son travail.**

**L'orientation** constitue le choix qu'opère une personne placée devant plusieurs possibilités (viser la qualité ou la quantité).

**L'intensité concerne la quantité d'énergie déployée.**

**La persistance** représente la durée des efforts (par exemple, essayer d'atteindre un haut niveau de qualité sur le plan de la production, ou abandonner si cela est trop difficile).

# 2 Réflexions sur la motivation

## MÉTAPHORE : ALAIN LE PEINTRE

Alain est une personne très manuelle, il aime ce qui est concret. Dès son jeune âge, il a su que son talent le guiderait dans son choix de carrière. À quelques reprises, à l'adolescence, son père lui avait demandé de l'aider à repeindre la maison, et Alain avait tant de plaisir à peindre qu'il décida d'en faire un métier. Ce qu'il aime particulièrement, c'est qu'il se sent comme un magicien qui transforme et améliore le décor des maisons, ce qui contribue au bien-être des gens. C'est pourquoi il a préféré la peinture résidentielle à la peinture commerciale. Il aime ce qui est personnalisé. Ce qu'il fait est concret et il voit la progression de son travail du début à la fin.

En général, Alain apprécie tous les aspects de son travail : le plâtre, le découpage, le rouleau, la finition, mais il a horreur de placer les toiles pour protéger les planchers. Jusqu'à maintenant, cela allait plutôt bien, car il travaillait pour une entreprise où une personne désignée préparait les pièces. Quand Alain arrivait, tout était prêt. Il n'avait qu'à faire ce qu'il préfère : peindre.

Depuis quelques mois, Alain a fondé son entreprise et il est maintenant travailleur autonome. C'est une grande source de fierté et d'accomplissement pour lui. Par contre, c'est lui qui doit maintenant installer les toiles sur les planchers et il le fait rapidement, un peu pour s'en débarrasser. Souvent, les toiles sont mal placées et ne couvrent pas tout le plancher. Elles bougent et se plissent, parce qu'il ne prend pas la peine de les fixer adéquatement avec du ruban et il doit passer un temps fou à nettoyer.

Il lui arrive même de trébucher et de renverser de la peinture sur le plancher. Évidemment, dans ces cas-là, les clients ne sont pas satisfaits. Bien qu'il réussisse à tout nettoyer son travail lui demande beaucoup plus de temps que prévu.

Un jour, alors qu'Alain installait les fameuses toiles chez une dame, celle-ci lui dit discrètement : « D'après votre langage non verbal, on dirait que cette tâche vous rebute. » C'était une femme douce et tranquille, aux cheveux grisonnants. Alain lui répondit qu'effectivement il n'éprouvait aucun plaisir à placer les toiles, qu'il avait l'impression de perdre son temps et qu'en plus il trouvait cela difficile, car les toiles se déplaçaient sans cesse. « Quand je tire d'un côté, dit-il, ça bouge de l'autre et ça n'en finit plus ! » La femme lui demanda alors :

« Y a-t-il quelque chose que votre femme n'aime pas faire dans la cuisine ?
- Elle n'aime pas peler les carottes.
- Est-ce qu'elle vous les sert avec la pelure ?
- Évidemment que non. Cela n'aurait aucun sens !
- Qui pèle les carottes, alors ?
- C'est elle.
- Et pourquoi fait-elle une chose qu'elle déteste ?
- Parce que c'est comme ça, dit Alain, les carottes font partie du repas et d'une saine alimentation, alors même si ma femme n'aime pas cela, elle le fait quand même. Lorsqu'elle le fait, parfois elle chante, regarde la télé ou écoute la radio. Elle est contente et fière d'elle.
- Voilà ! s'exclama la femme. Qu'en pensez-vous ?
- J'ai tout compris, l'assura Alain. Je vous remercie pour cette précieuse réflexion. »

Alain réalisa que quelque chose de spécial venait de se passer. Il venait de comprendre l'importance d'apprendre à aimer les aspects moins agréables de son travail... À partir de ce moment-là, il fit des efforts particuliers pour bien s'appliquer lors de l'installation des toiles. Et vous savez quoi ? Il est devenu de plus en plus habile dans cette tâche, et s'est donc mis à l'apprécier davantage.

À la lumière de cette histoire, nous constatons que, peu importent nos activités professionnelles ou personnelles, il est possible que certains aspects nous intéressent moins. Nous pouvons à ce moment nous poser les questions suivantes :

- Suis-je vraiment obligé de faire cette tâche ?
- Quelles sont les conséquences, si je ne l'accomplis pas ?
- Suis-je prêt à assumer ces conséquences ?

Dans le cas d'Alain, rien ni personne ne l'oblige réellement à installer les toiles. Par contre, s'il ne le fait pas, il double son temps de nettoyage, ce qu'il n'apprécie guère. Il est donc plus facile pour lui d'accepter et de transformer sa perception de cette tâche pour la rendre plus motivante.

Si vous réalisez que vous pouvez vivre avec les conséquences de ne pas faire ce qui vous embête, tant mieux : le problème est réglé et vous ne le faites tout simplement plus. Dans le cas contraire, c'est que vous **choisissez de le faire plutôt que de vivre avec les conséquences de ne pas le faire. Lorsqu'on est en position de choisir, il est plus facile d'accepter ce qu'on a à faire, d'être motivé et d'avoir du plaisir !**

## Premier exercice :
## S'interroger

Je vous invite à penser à une tâche qui vous rebute, mais que vous devez accomplir fréquemment. Quelle est cette tâche qui représente pour vous l'équivalent d'installer des toiles pour Alain ?

_____

Quel est l'impact, sur vous et sur les autres, de votre manque de motivation lorsque vous devez exécuter la tâche en question ?

_____

_____

Si la dame de l'histoire frappait à votre porte, quel message aurait-elle à vous livrer ? Que pourriez-vous en comprendre ?

_____

_____

Quels pourraient être les effets positifs sur vous et sur les autres d'accepter cette tâche comme importante ?

_____

_____

La femme d'Alain se distrait (elle chante, regarde la télé, écoute la radio) en pelant les carottes, afin d'agrémenter sa tâche. Que pourriez-vous faire pour agrémenter la vôtre ?

_____

_____

## DES HISTOIRES MOTIVANTES

L'histoire qui suit est tirée et adaptée du chapitre « Émotion et motivation », **du livre** *L'intelligence émotionnelle 2*, de Daniel Goleman.

Il s'agit de l'histoire de Joe Kramer, qui répare tout. Soudeur dans une usine de wagons à Chicago, il est celui que tout le monde appelle lorsqu'un appareil tombe en panne. Il adore découvrir et comprendre comment fonctionne une machine. Sa passion remonte à son enfance, au jour où il avait réparé le grille-pain. Depuis lors, Joe a constamment cherché des choses à réparer. Il a conçu lui-même un système d'arrosage mécanique pour son jardin.

Aujourd'hui, Joe a soixante ans et travaille au même endroit depuis quarante ans. Il connaît tous les aspects du travail en usine, aime toujours son métier et s'y dévoue entièrement. Le directeur aimerait bien avoir plus d'un homme comme lui. Le secret n'est pas dans le travail lui-même, puisqu'il est souvent routinier, mais bien dans l'état d'esprit de Joe, son enthousiasme.

Daniel Goleman affirme que cet état d'enthousiasme pousse les êtres à donner le meilleur d'eux-mêmes, peu importe la tâche. Cet enthousiasme se manifeste quand nous sommes stimulé par un travail qui mobilise le meilleur de nos talents. Il est plus facile de se sentir motivé quand on fait quelque chose qu'on aime. L'enthousiasme est donc un aspect essentiel de la motivation !

Un soir, lors d'un souper en groupe, j'écoutais une femme parler magnifiquement de son travail. On ressentait fortement sa motivation et son enthousiasme. Cette femme est concierge dans une école primaire, mais à aucun moment elle n'a parlé des planchers ou des toilettes sales. Elle précisait que chaque jour elle s'efforce de créer un lieu propre, paisible et agréable pour les élèves et le personnel, comme si c'était sa propre école. Mais ce qu'elle préfère, c'est quand elle a l'occasion de consoler un enfant qui a vomi. Bien sûr, elle doit tout nettoyer, mais ce qui compte, pour elle, c'est d'accrocher un sourire aux lèvres des enfants!

# 3 Trois types de besoins en lien avec la motivation

Il est possible pour chaque individu de générer sa propre motivation intérieure. La motivation étant avant tout un état d'esprit, voici des questions qui touchent des besoins importants. Lorsque ces besoins sont comblés, nous nous sentons assurément plus motivé. En effet, les réponses que nous donnons aux trois questions proposées nous permettent d'agir sur la satisfaction de nos besoins. Lorsque les trois besoins sont satisfaits (la responsabilité; donner un sens; et mesurer soi-même les résultats), nous ressentons une grande motivation. Assurez-vous que les réponses ne dépendent que de vous. Par exemple, lorsque vous mesurez les résultats de votre travail, évitez de répondre que vous vous fiez à une évaluation de votre patron, mais plutôt au visage souriant d'un client, au temps d'exécution d'une tâche, au nombre de vos ventes. Ainsi, vous avez vous-même la possibilité d'obtenir ces informations. Cette motivation, puisqu'elle ne dépend que de vous, est donc extrêmement puissante.

## LA RESPONSABILITÉ

L'intensité de notre motivation est fortement liée à notre sentiment de responsabilité face à la réalisation d'une tâche. Nous nous sentons responsable quand nous savons que la manière dont nous exécutons notre tâche a un impact sur le résultat final. De plus, se sentir responsable, c'est être concerné personnellement par la réalisation de la tâche, savoir que nous faisons une différence et que celle-ci est importante.

## Se sentir responsable

*En quoi la personne se sent-elle concernée par ce qu'elle fait?*
Exemples: un chauffeur d'autobus est très prudent, car il désire que les passagers soient en sécurité; un mécanicien assemble soigneusement les pièces de l'avion qu'il construit, car il ne veut pas qu'une distraction occasionne une catastrophe aérienne; un enseignant sent qu'en prenant le temps de bien répondre aux questions de ses élèves, il peut faire une différence dans leur cheminement académique.

## LE SENS

Le sens correspond à la raison pour laquelle on fait une chose. Certains préfèrent parler de mission, de vision, d'objectif ou de but, mais ces expressions se rattachent au même concept, qui est le sens que nous donnons à nos actions. Selon moi, le sens représente une source de motivation encore plus grande et importante que la motivation initiale. Par exemple, un étudiant se prépare soigneusement pour un examen, car il est motivé à le réussir. Toutefois, si on lui demande: «En quoi est-ce important de réussir cet examen», il répondra d'une manière qui traduira une source de motivation encore plus grande et plus puissante: le sens que cette action a pour lui. Dans ce cas, il pourrait être motivé à réussir son examen dans le but d'être accepté dans son programme à l'université.

## Donner un sens

*En quoi cette tâche est-elle importante et utile pour la personne?*
*Il est important de savoir le pourquoi! Mais dans quel but?*
Le chauffeur d'autobus se dit qu'il rend service aux passagers, puisqu'il les conduit à bon port. De plus, certains de ses passagers en profitent pour lire, étudier, écouter de la musique. Il se sent comme le chauffeur particulier de chacun des passagers. Pour sa part, le technicien en aéronautique songe à tous les passagers qui s'envoleront à bord des avions qu'il assemble, les vacanciers, les gens d'affaires, etc. Mais surtout, il pense aux

familles de ces voyageurs, qui seraient bien tristes s'il arrivait un accident à leurs proches, alors il se veut le gardien de leur sécurité! Et l'enseignant a le souci de permettre à chacun de ses élèves de déployer son potentiel, il veut que chacun réalise ses rêves et désire être une personne significative pour eux.

## LES RÉSULTATS

Le troisième besoin à combler pour favoriser la motivation concerne la possibilité de mesurer soi-même les résultats de ce qu'on accomplit. Effectivement, imaginons que nous ne puissions pas avoir de repères par rapport à ce que nous accomplissons; cela pourrait être décourageant. Il arrive dans certains cas qu'on ne puisse pas voir le résultat final. Par exemple, le mécanicien qui pose les boulons ne verra peut-être pas l'avion terminé, alors c'est à lui de trouver sa propre façon de mesurer ses résultats, afin que cela soit concret. Peut-être pourrait-il compter le nombre de boulons qu'il visse toutes les heures? Le chauffeur d'autobus, quant à lui, peut mesurer l'importance de son travail quand les gens lui disent merci.

J'ai aussi un exemple d'un homme qui travaillait pour une entreprise de séchage de bois. Il était très manuel, alors ce travail lui convenait, puisqu'il devait empiler le bois. Il était payé selon la quantité de bois placé en pile. Lorsque je lui ai demandé ce qu'il aimait de son travail, il m'a répondu: «Chaque jour, je me fixe des objectifs personnels, je m'efforce de dépasser la quantité de bois que j'ai empilé la journée précédente. Ça me motive et je sais concrètement où j'en suis!» Voilà donc un autre exemple de l'importance de pouvoir mesurer soi-même les résultats de ce qu'on fait. De cette manière, on peut ressentir la motivation directement. Finalement, l'enseignant mesure les résultats de son implication auprès de ses élèves lorsque ceux-ci lui adressent de beaux grands sourires!

# Mesurer soi-même les résultats

*Comment une personne sait-elle qu'elle a accompli sa tâche avec succès ?*

## Déuxième exercice :
## Où en est la satisfaction de vos besoins ?

Je vous demande de penser à une tâche que vous devez réaliser et pour laquelle vous désirez être plus motivé.

Quelle est cette tâche ?

_____
_____
_____

Je vous propose maintenant de répondre aux questions suivantes. Cela vous aidera à combler les trois besoins liés à la motivation.

### 1. Se sentir responsable
En quoi est-ce que je me sens responsable et concerné par cette tâche ?

_____
_____
_____

### 2. Donner un sens
Quel est le sens que je donne à cette tâche ? En quoi est-il utile et important ?

_____
_____
_____

### 3. Mesurer soi-même les résultats
Comment est-ce que j'arrive à mesurer les résultats ?

_____
_____
_____

# 4 Deux sortes de motivation

Lorsque nous parlons de « sortes », nous nous intéressons aux catégories, aux types qui existent par rapport à une chose. En ce qui concerne la motivation, il en existe deux sortes : la motivation intrinsèque et la motivation extrinsèque.

## LA MOTIVATION INTRINSÈQUE

La motivation intrinsèque est la plus puissante, puisqu'elle provient de facteurs internes propres à la personne. Elle correspond à ses valeurs, à ses normes et à ses critères. Ce type de motivation est issu d'un besoin fondamental chez l'être humain, de se sentir compétent et autodéterminé, ce qui le pousse à pratiquer des activités pour le plaisir et la satisfaction qu'elles lui procurent. Les sentiments d'accomplissement et de réalisation sont des exemples de motivation intrinsèque, le véritable moteur de l'individu.

## LA MOTIVATION EXTRINSÈQUE

La motivation extrinsèque dépend de sources de contrôles externes. Elle regroupe l'ensemble des comportements effectués dans le but de retirer quelque chose de plaisant ou pour éviter quelque chose de déplaisant une fois l'activité terminée. La motivation extrinsèque peut provenir de l'estime d'un patron et des collègues, ou du salaire. Elle peut consister aussi à éviter une suspension.

# 5 Deux sources de motivation

La source de notre motivation correspond à l'endroit où nous la trouvons, soit à l'intérieur ou à l'extérieur de nous. Ces deux sources de motivation sont appelées : référence interne et référence externe. Ces termes proviennent du *Language and Behaviour Profile*, « profil du langage et du comportement », ou profil LAB créé par Rodger Bailey. Celui-ci a pour but de nous aider à comprendre comment les personnes se motivent, absorbent et traitent l'information, puis comment elles prennent des décisions de manières différentes. Il nous aide aussi à mieux saisir comment nous fonctionnons et comment nous pouvons nous adapter aux autres en agissant selon leur modèle, en l'occurrence leur source de motivation principale. Le profil LAB a également été utilisé et adapté par Shelle Rose Charvet, conférencière et auteur qui, dans son livre *Le plein pouvoir des mots : maîtriser le langage d'influence*, nous le présente très clairement sous forme de jeu, avec des questions nous permettant d'identifier les profils. Ainsi, de ces douze différents profils, nous nous intéressons ici à celui de la source de la motivation, soit la référence interne et externe.

Vous constaterez qu'il est possible de faire un lien entre le lieu d'origine de notre motivation et les deux sortes de motivations présentées plus haut. En effet, la référence interne est l'endroit où nous trouvons la motivation intrinsèque ; et la référence externe, l'endroit où nous trouvons la motivation extrinsèque.

*Comment savoir si nous utilisons davantage la référence interne ou la référence externe?*
Il suffit de répondre par écrit à la question suivante en deux ou trois phrases, puis de comparer votre réponse avec les indices proposés plus bas. Cela vous permettra de savoir d'où vient votre motivation.

Comment savez-vous que ce que vous avez fait (travail, décision, choix, enfant, ménage, repas, etc.) est bien?

_____

_____

_____

*Comment distinguer la référence interne de la référence externe?*
Il existe des indices très clairs qui nous aident à déterminer tout d'abord notre propre source de motivation, dans un contexte donné, puis celle des personnes qui nous entourent. Mais, avant tout, en quoi est-il utile de découvrir notre source de motivation principale et celle d'une autre personne dans un contexte donné (la source de motivation principale peut varier au travail, avec les enfants, dans les sports, etc.)? Cela est utile pour plusieurs raisons, par exemple:

- Être en mesure d'ajuster notre langage en choisissant des mots et des expressions spécifiques propres à la référence interne ou externe;
- Choisir nos arguments lors d'une discussion ou d'une négociation avec une autre personne;
- Permettre à une personne qui a une référence interne de juger par elle-même et de tirer ses propres conclusions;
- Donner de la rétroaction rapidement et souvent à une personne qui a davantage une référence externe;
- Modifier son langage en choisissant des mots spécifiques à chacun des schémas de comportements interne ou externe.

# LA RÉFÉRENCE INTERNE

Voici des indices pour vous aider à identifier les personnes qui ont, dans un contexte précis, une référence interne, c'est-à-dire qu'elles trouvent leur motivation à l'intérieur d'elles-mêmes, dans leurs normes personnelles et leurs croyances profondes.

À la question « Comment savez-vous que ce que vous avez fait est bien ? », une personne possédant une référence interne répondra probablement : « Je le sais ! Quand je me sens bien ! » ou « Je le sens à l'intérieur de moi » ou « Je sais que j'ai fait un bon travail quand je suis fière de moi ».

C'est donc la personne elle-même qui décide de la qualité de ce qu'elle a fait. Je vous invite maintenant à relire votre réponse.

Autres points importants à noter pour reconnaître la référence interne : La personne...

- peut avoir de la difficulté à accepter l'opinion des autres, de même que les directives extérieures ;
- recueille de l'information à l'extérieur et prend ensuite ses décisions à partir de ses barèmes intérieurs et personnels ;
- a moins besoin des éloges de son entourage, car ce sont ses normes intérieures qui sont importantes.

En résumé, la motivation d'une personne ayant une référence interne est déclenchée quand elle a l'occasion de prendre de l'information à l'extérieur, de la traiter selon ses propres normes et d'en faire son propre jugement.

# LA RÉFÉRENCE EXTERNE

Voici des indices pour vous aider à identifier les personnes qui ont, dans un contexte précis, une référence externe, c'est-à-dire qu'elles trouvent leur motivation à l'extérieur d'elles-mêmes, dans l'opinion et la rétroaction des autres.

À la question « Comment savez-vous que ce que vous avez fait est bien ? », une personne possédant une référence externe répondra probablement : « Quand on me le dit ! Quand j'atteins les objectifs demandés ! » ou « Quand je constate que mes clients sont contents » ou « Je sais que j'ai fait un bon travail quand mon patron me félicite ».

La personne externe se réfère à quelque chose qui lui est extérieur pour savoir si ce qu'elle a fait est bien.

Autres points importants à noter pour reconnaître la référence externe : La personne...

- a besoin de l'opinion des autres, de directives externes et d'une rétroaction extérieure pour être et rester motivée ;
- peut prendre les informations extérieures comme des ordres qu'elle exécutera ;
- est plus motivée quand quelqu'un d'autre décide ;
- peut avoir du mal à entreprendre une activité ou à la poursuivre si elle n'obtient pas de rétroaction de la part d'une autre personne ou si elle ne voit pas de résultats concrets.

En résumé, la motivation d'une personne externe est déclenchée quand elle a l'occasion de s'approvisionner à l'extérieur.

Il faut savoir que nous n'avons pas une source exclusive de motivation : chaque individu utilise les deux sources de motivation. Toutefois, dans certains contextes, nous avons notre source de motivation principale, préférée ou dominante, selon le terme qui vous convient !

De plus, dans certains cas il est utile d'avoir accès aux deux sources de motivation. Par exemple, quand je reçois des gens en psychothérapie, il est important que j'utilise la référence externe afin d'être à l'écoute de la personne qui est devant moi, de savoir comment elle va. Je dois être motivée par ce qui se passe pour elle et m'y intéresser. J'ai aussi besoin d'utiliser ma référence interne afin de me positionner, d'évaluer la qualité de mes interventions et de me réajuster au besoin. La référence interne est d'une grande importance, car il arrive en thérapie que nous ne recevions pas de rétroaction de la part des personnes que l'on accompagne, et certaines cessent de nous consulter, tout simplement. Ainsi, lorsque les personnes mettent fin à leur démarche, ma référence interne me permet de réfléchir à la situation en me fiant à mes repères intérieurs pour apporter les améliorations, s'il y a lieu. Dans les cas d'intervention, les deux sources de motivation ont donc leur rôle à jouer. De plus, une personne très externe peut se sentir désemparée à certains moments, si elle n'a pas de rétroaction, d'où l'importance de développer notre flexibilité et de s'assurer d'avoir accès à nos deux sources de motivation.

## En résumé : Comment savez-vous que ce que vous avez fait est bien ?

**Référence interne**

Une personne ayant une référence interne répondra : « Je le sais. »
Elle décide ou le sait par elle-même.
Elle évalue ses performances à partir de ses propres normes.
Elle s'oppose à ceux qui décident pour elle.

**Référence externe**

Une personne ayant une référence externe a besoin de l'opinion des autres et de rétroaction extérieure pour rester motivée.
Elle a besoin de comparer son travail à des normes extérieures.
Elle parlera de la satisfaction des autres : ses clients ou ses patrons.

(Adapté du livre *Le plein pouvoir des mots*, de Shelle Rose Charvet.)

**Exemples de réponses données à la question** : « *Comment savez-vous si vous avez fait un bon travail ?* »

**Principalement interne** : « *Je sais quand j'ai fait un bon travail.* »

**Principalement externe** : « *Mes clients sont satisfaits, mon supérieur est content, j'ai rempli mes objectifs. Sans rétroaction extérieure, j'ai l'impression que mon travail ne sert à rien.* »

**Interne et externe** : « *Même quand je pense avoir fait du bon travail, j'aime bien savoir ce que les autres en pensent.* »

Même si notre but dans ce chapitre est de vous aider à vous motiver, il est aussi intéressant de savoir que nous avons la capacité de favoriser la motivation chez les autres. Que ce soit dans le cadre de votre travail ou à la maison, il est parfois fort utile de savoir quel genre de personnes constituent votre entourage. Votre interaction avec eux aurait avantage à être différente en fonction de leur profil (interne ou externe).

Voici des exemples de phrases et de stratégies à utiliser lorsque vous désirez favoriser la motivation chez une personne de votre entourage.

| Référence interne | Référence externe |
|---|---|
| • Vous êtes la seule personne à décider.<br>• Vous pouvez considérer....<br>• C'est à vous de...<br>• Je vous suggère d'y penser.<br>• Essayez et dites-moi ce que vous en pensez.<br>• Que pensez-vous de... ? | • Vous aurez une bonne rétroaction.<br>• D'autres le noteront.<br>• Cela a été approuvé par...<br>• Vous ferez bonne impression.<br>• M. Untel pense que...<br>• Je recommanderais de...<br>• Les experts disent que...<br>• Donnez des références. |

(Adapté du livre *Le plein pouvoir des mots,* de Shelle Rose Charvet.)

Par exemple, si vous avez décelé qu'à l'école votre enfant est davantage motivé par la référence interne, plutôt que de lui dire «félicitations, je suis fière de toi et de ton beau travail», ce qui conviendrait à un enfant ayant une référence externe, dites-lui: «Que penses-tu de ton travail à l'école dernièrement? » Ainsi, vous vous ajusterez à son modèle, en lui donnant l'occasion d'évaluer par lui-même sa performance à l'école, selon ses normes à lui!

Autre exemple: «Lorsque je veux motiver mon conjoint à venir voir le film de mon choix, je lui dis: "J'aimerais bien aller voir tel film. Penses-y et dis-moi si tu m'accompagnes." Neuf fois sur dix, cette stratégie fonctionne. Auparavant, je lui demandais plutôt: "J'ai envie d'aller voir tel film ce soir, on y va?" Parce que je sais aujourd'hui qu'il a une référence interne, j'ai avantage à le laisser décider, en lui suggérant d'y penser. La plupart du temps, dans les minutes qui suivent, il me répond: "C'est bon, on y va!"

Il est important de comprendre que certaines stratégies fonctionnent mieux que d'autres. À nous de les utiliser. De plus, en ce qui concerne notre propre motivation à faire quelque chose, il y a aussi des stratégies qui fonctionnent mieux que d'autres. Par exemple, je rencontre souvent des gens qui aimeraient faire plus de sport pour être en forme. Quand je leur demande ce qu'ils ont l'intention de faire, souvent ils me répondent: «Je vais m'abonner à la salle d'entraînement.» Ma question suivante est: «Vous y êtes-vous déjà abonné?» Huit fois sur dix, ces personnes me répondent par l'affirmative. Lorsque je les interroge ensuite sur leurs expériences passées, très souvent elles me disent: «J'ai abandonné après quelques semaines!»

Connaissez-vous des gens qui s'abonnent à une salle d'entraînement le 3 janvier dans l'espoir de se remettre en forme, mais qui stoppent tout après quelques semaines? Peut-être vous reconnaissez-vous? Si votre motivation s'est éteinte après quelques semaines, posez-vous cette question: «Qu'est-ce qui fait que cette fois-ci sera la bonne?» Très souvent, cette nouvelle tentative ne fonctionnera pas non plus. On doit alors prendre conscience que cette formule n'est peut-être pas la meilleure pour soi.

Une amie à moi est venue assister à un séminaire au cours duquel je propose un exercice sur la motivation. Nathalie disait vouloir s'entraîner depuis des années, mais elle avait, selon elle, tout essayé. L'entraînement à la maison, les cassettes d'aérobique, le jogging, etc. Lorsque je lui ai demandé: «Selon toi, qu'est-ce qui te motive à faire une tâche?» Elle m'a répondu: «Quand j'ai un échéancier et que je sais que quelqu'un attend après mon travail, je me fais un devoir de respecter mon engagement.» Je lui ai donc suggéré d'engager un entraîneur particulier. Comme elle aurait des rendez-vous avec lui, il serait plus motivant pour elle de s'entraîner. Cette stratégie a fonctionné à merveille pour Nathalie.

Rappelez-vous ce que nous avons dit dans la partie sur l'intelligence émotionnelle: conservons nos stratégies efficaces et changeons nos stratégies inefficaces. En matière de motivation, la même règle s'applique.

# 6 Deux orientations de la motivation

L'orientation de la motivation constitue aussi un des modèles de comportement du profil LAB, profil du langage et du comportement de Rodger Bailey, dont il a été question dans la quatrième partie. L'orientation de la motivation désigne la direction que prend une personne dans un contexte donné afin de se motiver. Nous pouvons parler de ce qui pousse cette personne à agir. La personne est-elle motivée par le but à atteindre et par les avantages que cela lui procurera? Est-elle plutôt motivée à passer à l'action dans le but d'éviter des inconvénients?

C'est ce que certains appellent «la carotte et le bâton». En effet, dans une même situation, deux personnes pourraient avoir deux types de motivation différents. Prenons par exemple l'entraînement physique: certaines personnes s'entraînent dans le but d'avoir de l'énergie, d'être en pleine forme, plus concentrées, en meilleure santé, d'avoir une belle apparence et de se sentir bien dans leur peau. Ces personnes sont, selon le profil LAB, de type «aller vers», puisqu'elles se motivent en «allant vers» les différents avantages de la situation. Elles sont motivées à atteindre la carotte. À l'inverse, d'autres personnes s'entraînent dans le but d'éviter l'embonpoint, la maladie et les tensions. Elles sont motivées par l'évitement d'aspects qu'elles jugent inconfortables et veulent ainsi éviter le bâton. Il s'agit de la même activité, s'entraîner, mais l'orientation de la motivation est différente. Il n'y a pas une orientation qui soit plus efficace que l'autre; il y a seulement celle qui fonctionne le mieux pour vous!

*Autre exemple*

| Être motivé à suivre un cours de perfectionnement | |
|---|---|
| **Aller vers :** Vouloir approfondir ses connaissances, se sentir plus à l'aise, davantage compétent. Être stimulé à l'idée d'apprendre de nouvelles choses. | **S'éloigner de :** Peur d'être rétrogradé, de perdre son emploi, impression de manquer de connaissances, sentiment d'être dépassé. |

## Exemple pour vous exercer

Deux personnes sont motivées à être ponctuelles. Toutefois, l'orientation de leur motivation est différente, c'est-à-dire qu'elles sont toutes les deux motivées à être à l'heure, mais pour des raisons différentes.

D'après vous, quelles pourraient être les motivations d'une personne de type « aller vers » pour arriver à l'heure au travail ?

_____

_____

_____

D'après vous, quelles pourraient être les motivations d'une personne de type « s'éloigner de » pour arriver à l'heure au travail ?

_____

_____

_____

## Réponses possibles

Puisque la personne de type « aller vers » est motivée par l'idée de jouir d'un plaisir à venir, d'atteindre ou d'obtenir quelque chose de positif ou d'agréable, il est probable qu'elle sera ponctuelle pour :

- avoir le temps de s'installer adéquatement ;
- parler à ses collègues avant de commencer sa journée ;
- planifier ses tâches tranquillement.

Puisque la personne de type « s'éloigner de » est motivée par l'évitement des inconvénients, des conséquences, de l'inconfort ou de la souffrance, il est probable qu'elle sera ponctuelle pour :

- éviter d'être pressée ;
- ne pas se faire réprimander par son patron ;
- éviter d'occasionner des frustrations à ses collègues.

## ATTEINDRE QUELQUE CHOSE D'AGRÉABLE (ALLER VERS) OU ÉVITER QUELQUE CHOSE DE DÉSAGRÉABLE (S'ÉLOIGNER DE)

Le tableau suivant est une synthèse des points à identifier pour vous aider à distinguer les deux orientations de la motivation.

| L'orientation de la motivation | |
|---|---|
| **S'éloigner de** | **Aller vers** |
| Éviter quelque chose : un malaise ; un inconfort ; un inconvénient ; une conséquence ; une souffrance. | Atteindre quelque chose : obtenir un avantage ; un bien-être ; un plaisir ; une récompense ou une stimulation ; un gain ou une prime. |
| **Bâton** *Certaines personnes sont davantage motivées par l'évitement.* | **Carotte** *Pour d'autres, c'est la perspective d'une carotte qui les motive.* |
| Être motivé à résoudre ou à éviter les problèmes. | Être motivé à finaliser ou à atteindre des buts. |
| **Forces** Identifier les problèmes possibles et prévoir des solutions. | **Forces** Planifier des orientations futures. |
| **Vocabulaire à utiliser pour augmenter la motivation selon l'orientation** | |
| Éviter, prévenir, éliminer, résoudre, se débarrasser de, etc. | Atteindre, obtenir, avoir, posséder, inclure, réussir, etc. |

(Adapté du livre *Le plein pouvoir des mots*, de Shelle Rose Charvet.)

# DÉCOUVRIR L'ORIENTATION DE SA MOTIVATION

1.  Identifiez une situation où vous étiez très motivé.

_____

_____

2.  En vous référant au tableau précédent, étiez-vous davantage motivé par la peur des conséquences (s'éloigner de) ou par le plaisir de savoir que vous obtiendriez quelque chose d'agréable (aller vers) ?

_____

_____

_____

Il est utile de connaître l'orientation de notre motivation personnelle et celle des gens de notre entourage, pour les raisons suivantes :

- Adapter notre langage pour nous ajuster à l'orientation de la motivation de la personne.
- Porter une attention particulière à la façon dont on présente un projet ou une activité.

Voici un exemple fort intéressant de l'importance des mots qu'on utilise pour présenter quelque chose aux autres : un jour, les résidents d'un foyer de personnes âgées apprirent qu'ils devaient déménager. Les employés, pour la plupart des personnes dans la trentaine, présentèrent le déménagement aux résidents de la façon suivante : «Ce sera tout neuf, plus grand, très coloré. Ça donnera un vent de fraîcheur !» Malgré l'insistance du personnel à motiver les résidents en fonction des bons côtés et de la nouveauté, ceux-ci étaient plutôt inquiets. Pourquoi ? Parce que la majorité des personnes âgées étaient du type **s'éloigner de**, c'est-à-dire des gens qui se motivent en pensant aux inconvénients et aux désavantages qu'ils éviteront. Les intervenants auraient donc eu davantage de succès s'ils leur avaient dit que là-bas le personnel serait le même, qu'ils pourraient toujours jouer au bingo, que les nouvelles chambres seraient semblables aux chambres actuelles et que les lieux seraient moins bruyants.

Examinons maintenant quelques pistes pour nous motiver en fonction de notre profil.

*Trucs à utiliser par les personnes de type « aller vers »*

1. Identifiez ce que vous souhaitez atteindre précisément et concrètement, en lien avec cette situation. Que désirez-vous ?
2. Fermez les yeux et imaginez que vous avez atteint votre but, que vous avez réussi. (Évoquez l'image la plus précise et détaillée possible.)
3. Grossissez cette image, rendez-la plus claire, plus colorée, pour qu'elle semble réelle.
4. Entendez un dialogue motivant qui accompagne votre image, mettez de la musique stimulante pour rehausser l'excitation.
5. Ouvrez les yeux et mettez-vous en mouvement tout de suite, en posant un geste concret qui vous rapprochera du but désiré.

*Trucs à utiliser par les personnes de type « s'éloigner de »*

1. Identifiez ce que vous souhaitez éviter précisément et concrètement, en lien avec cette situation.
2. Fermez les yeux et imaginez que ce que vous désirez éviter est en train de se produire. (Évoquez l'image la plus précise et détaillée possible.)
3. Grossissez cette image, rendez-la plus claire, plus colorée, pour qu'elle semble réelle.
4. Entendez la voix intérieure qui vous invite à agir, comme si vous vous donniez un ordre, comme s'il y avait urgence.
5. Ouvrez les yeux et mettez-vous en mouvement tout de suite, en posant un geste concret qui vous éloignera de cette conséquence négative.

## UN OUTIL DE MOTIVATION PUISSANT : LE CONDITIONNEMENT NEURO-ASSOCIATIF

En lien avec l'orientation de la motivation, Anthony Robbins explique que tous nos actes sont motivés par deux choses : le souci d'éviter la douleur ou la recherche du plaisir. Il précise que si nous souhaitons modifier notre comportement ou nous motiver pour atteindre un objectif, il n'y a qu'une seule façon d'agir : « Nous devons associer une douleur insupportable et immédiate au fait de ne pas changer (ancien comportement), et des sensations formidables et immédiates de plaisir à changer (nouveau comportement). » Il s'agit donc d'utiliser les deux orientations de la motivation – « s'éloigner de » (éviter la douleur) et « aller vers » (obtenir quelque chose d'agréable) –, peu importe notre orientation principale. Anthony Robbins a nommé cet exercice le **conditionnement neuro-associatif**.

Cet exercice permet de générer une grande source de motivation simplement en nous apprenant à conditionner notre esprit, notre corps et nos émotions, de façon à associer de la douleur ou du plaisir à ce que nous voulons.

En modifiant les **associations**, il est possible de changer nos comportements.

Le conditionnement neuro-associatif est basé sur la théorie de la réponse conditionnée d'Ivan Pavlov, un scientifique russe. Vers la fin du XIXe siècle, Pavlov fit plusieurs expériences dont la plus célèbre est celle où il sonnait une cloche en donnant de la nourriture à un chien, ce qui stimulait la salivation de l'animal qui associait ses sensations au son de la cloche. Ayant répété ce conditionnement plusieurs fois, Pavlov découvrit qu'il lui suffisait de sonner la cloche pour que le chien produise de la salive, et ce, même en l'absence de nourriture.

Chaque fois que nous nous trouvons dans un état affectif intense, que nous éprouvons de fortes sensations de douleur ou de plaisir, tout événement unique simultané créera un lien neurologique dans notre cerveau, ce que nous appelons une **association**.

Il est donc possible d'influencer consciemment nos associations dans le but de nous motiver à changer ou à atteindre un objectif.

Voici les questions que nous devons nous poser afin d'appliquer le **conditionnement neuro-associatif**.

1. Associer de la douleur au fait de ne pas atteindre l'objectif! (Éviter quelque chose de désagréable.)

---

*Quel est le prix à payer pour ne pas atteindre cet objectif (ou pour ne pas accomplir cette tâche)?*

---

*Quels en sont les inconvénients ?*

_____

*Que va-t-il se produire ?*

_____

2. Associer du plaisir au fait d'atteindre l'objectif ! (Obtenir quelque chose d'agréable.)

_____

*Qu'est-ce que je gagne à atteindre cet objectif (ou à accomplir cette tâche) ?*

_____

*Quels en sont les avantages et bénéfices ?*

_____

Il est important de réaliser que, pour se motiver, on doit voir les avantages liés au fait de changer, et ce, de façon puissante ; et on doit voir les inconvénients liés au fait de ne pas changer, et ce, de façon tout aussi puissante.

Dans le prochain tableau, je vous donne un exemple personnel. Quand j'ai étudié la psychothérapie, il y a plusieurs années, j'ai dû faire un travail sur moi-même pour devenir une thérapeute efficace. Je ne pouvais pas m'imaginer dire à mes clients de bien gérer leurs émotions si je n'appliquais pas entièrement ce concept dans ma vie. J'aurais été incohérente. Mon objectif était donc d'avoir une meilleure maîtrise de mes émotions.

J'ai ensuite conçu le tableau suivant, de façon à faire ressortir à la fois les avantages liés au fait de changer, donc à atteindre mon objectif, et les inconvénients liés au fait de ne pas changer, donc de ne pas atteindre mon objectif.

## Démonstration de l'utilisation du conditionnement neuro-associatif pour nous motiver

### Objectif de Stéphanie :
### Avoir une meilleure maîtrise de mes émotions

| Associer de la *douleur* au fait de ne pas atteindre l'objectif ! | Associer du *plaisir* au fait d'atteindre l'objectif ! |
|---|---|
| Quel est le prix à payer pour ne pas atteindre cet objectif ? Quels en sont les *inconvénients* ? Que va-t-il se produire ? | Qu'est-ce que je gagne à atteindre cet objectif ? Quels en sont les *avantages* et *bénéfices* ? |
| • Avoir un sentiment de non-contrôle.<br>• Agir (parler) sans réfléchir.<br>• Avoir des regrets après une explosion.<br>• Avoir la réputation de « sauter des coches ! »<br>• Faire de la peine aux autres.<br>• Être déçue de moi-même.<br>• Voir mes relations s'effriter.<br>• Limiter mes possibilités d'avancer professionnellement.<br>• Être réprimandée.<br>• Être congédiée.<br>• Nuire à ma santé.<br>• M'exposer aux maladies, à la fatigue.<br>• Avoir un sentiment d'incompétence à cause des incohérences entre ce que je dis à mes clients en psychothérapie et ce que je fais dans ma vie. | • Vivre des relations harmonieuses avec soi et les autres.<br>• Être en meilleure santé.<br>• Avoir confiance et une bonne estime de soi.<br>• Adopter des comportements adéquats et réfléchis.<br>• Être inspirante pour les autres.<br>• Avoir un sentiment de contrôle<br>• Avancer dans ma carrière.<br>• Avoir plus d'énergie.<br>• Être satisfaite.<br>• Savoir qu'il y a cohérence entre ce que je dis et ce que je fais, par rapport à mes clients en psychothérapie et aux auditeurs de mes conférences. |

Il est intéressant de noter que ce qui m'a le plus motivée à atteindre mon objectif était, d'une part, le fait que je ne voulais pas blesser les gens que j'aime, et donc, par conséquent, voir mes relations s'effriter, mais aussi mon désir d'être cohérente avec moi-même.

Je savais que je ne serais jamais une thérapeute efficace si je n'arrivais pas à prêcher par l'exemple. J'aurais été incapable de faire mon travail. C'était une motivation suffisante pour moi.

À vous de jouer maintenant : choisissez quelque chose que vous voulez atteindre ou réaliser avec plus de motivation !

**Augmenter sa motivation grâce au conditionnement neuro-associatif ***

Nommez ce que vous désirez vraiment atteindre :

| Associez de la *douleur* au fait de ne pas atteindre l'objectif ! | Associez du *plaisir* au fait d'atteindre l'objectif ! |
|---|---|
| Quel est le prix à payer pour ne pas atteindre cet objectif ? Quels en sont les *inconvénients* ? Que va-t-il se produire ? | Qu'est-ce que je gagne à atteindre cet objectif ? Quels en sont les *avantages* et *bénéfices* ? |
| | |

* Cette appellation a été donnée par Anthony Robbins, dans son livre *L'éveil de votre puissance intérieure* (1993).

# UTILISER LA PUISSANCE DES IMAGES POUR SE MOTIVER

Puisqu'une image vaut mille mots, je vous invite à choisir une image ou une représentation symbolique de la douleur associée au fait de ne pas changer et de la joie associée au fait de changer. Ces images vont stimuler des régions différentes de votre cerveau. Lorsque nous faisons cet exercice dans nos ateliers, il est toujours fascinant de constater l'impact des images. Une personne qui désire cesser de fumer peut coller du côté de la douleur une image de poumons noircis par la cigarette, et du côté de la joie, un jogger souriant et en santé. À vous de laisser aller votre créativité et votre imagination!

Nommez l'objectif que vous désirez vraiment atteindre:

_____

_____

| Image illustrant la *douleur* associée au fait de ne pas changer! | Image illustrant le *plaisir* associé au fait de changer! |
|---|---|
| | |

# 7 Ingrédients indispensables à la motivation

Il est intéressant de parler de la motivation comme étant le résultat d'une recette bien précise. Cette recette se rapporte à des ressources intérieures que nous possédons et que nous mettons en place lorsque nous sommes motivé de manière générale. Dans une recette, chacun des ingrédients est nécessaire au résultat final. Il apparaît, selon Hendrie Weisinger, que cinq éléments sont indispensables pour qu'un individu soit motivé. C'est ce que nous appelons ici les cinq ingrédients de la motivation. Ainsi, pour une tâche donnée, si nous désirons faciliter notre accès à la motivation afin de ressentir plus de plaisir et d'accomplissement, il sera utile de nous assurer que nous aurons accès à ces cinq ingrédients. Je vous proposerai également une démarche qui vous aidera à entrer en contact rapidement avec ceux-ci. Toutefois, avant d'aller plus loin, voyons d'abord en quoi ils consistent.

## LA CONFIANCE

Le premier ingrédient de la motivation est la confiance, c'est-à-dire qu'il faut croire en nos compétences, posséder un sentiment d'assurance et de sécurité.

## L'OPTIMISME

L'optimisme, c'est une manière de voir qui nous dispose à prendre les choses du bon côté en relativisant leurs aspects fâcheux. C'est aussi une impression, un sentiment de confiance heureuse dans le déroulement et l'issue d'une situation. C'est le fait d'espérer un résultat positif.

## LA TÉNACITÉ

Le troisième ingrédient, la ténacité, est la capacité à se concentrer sur la tâche. Lorsqu'on parle de ténacité, on fait référence à la fermeté, au caractère, à l'obstination et à la persévérance. Nous comprenons en quoi la ténacité est un ingrédient essentiel à la motivation, puisqu'elle nous permet de persister dans la réalisation de nos objectifs.

## L'ENTHOUSIASME

L'enthousiasme correspond à cet état où nous sommes soulevé par une force qui nous dépasse et où nous nous sentons capable de créer. C'est une émotion intense qui nous pousse à l'action dans la joie. C'est un emballement, un engouement, et surtout du plaisir dans le processus de réalisation.

## LA DÉTERMINATION

La détermination, le dernier ingrédient mais non le moindre, c'est notre capacité à agir sans hésiter, avec fermeté, et à tout recommencer au besoin. La détermination est en lien avec notre engagement par rapport à la tâche que nous devons accomplir.

## Troisième exercice :
## Accéder aux ingrédients de la motivation

Voici les étapes à suivre pour faire ce troisième exercice dont l'objectif est que vous puissiez avoir accès, en vous, à ces différents ingrédients pour augmenter votre motivation intérieure.

Premièrement, décrire dans la première case (tableau qui suit) une situation dans laquelle vous aimeriez vous sentir davantage motivé. Deuxièmement, pour chacun des ingrédients de la motivation inscrits dans la colonne de gauche, identifiez un mot-clé qui résume une expérience de référence où vous vous êtes senti dans cet état. Par exemple, un moment du passé où vous avez eu pleinement confiance en vous, où vous avez ressenti intensément cet ingrédient. Le contexte n'a pas d'importance ; ce qui nous intéresse, c'est ce que vous avez éprouvé à ce moment-là. Il peut s'agir d'une situation au travail, lors de vos vacances ou d'un loisir. Par exemple, quand j'ai demandé à Manon, qui fait du chant : « Quand as-tu ressenti une très grande confiance en toi ? », elle m'a répondu : « Lors de mon dernier concert, la salle était remplie, j'avais pleinement confiance en moi et je suis fière de ma performance. » Manon pourrait donc inscrire « concert » comme mot-clé dans la colonne de droite. Ainsi, en prononçant intérieurement le mot « concert », elle accédera instantanément à son souvenir, elle verra les images qui y sont associées, entendra les sons, revivra les sensations et se replongera dans l'événement en ressentant la confiance d'alors. Il s'agit de procéder ainsi pour chacun des ingrédients, d'identifier un moment où vous vous êtes senti totalement confiant, optimiste, tenace, enthousiaste et déterminé. Vous vous retrouverez donc avec cinq mots-clés et vous vous imprégnerez de la sensation associée à chacun des ingrédients, l'un à la suite de l'autre, comme si vous activiez intérieurement chacune de ces ressources. Vous rappeler les situations où ces ingrédients étaient présents à l'intérieur de vous vous remémorera la présence de ces sensations et vous aidera à les revivre. Une fois ces cinq ingrédients activés en vous, quand vous vous sentirez pleinement confiant, optimiste, tenace, enthousiaste et déterminé, imaginez-vous en train d'accomplir la tâche de départ. Qu'est-ce qui a changé dans votre manière de vous sentir ? Dans votre manière d'exécuter la tâche ?

| Situation où vous souhaitez ressentir davantage de motivation : | |
| --- | --- |
| **Éléments de la motivation** | **Expériences de référence**<br>**(inscrire un mot qui la représente)** |
| Confiance | _____ |
| Optimisme | _____ |
| Ténacité | _____ |
| Enthousiasme | _____ |
| Détermination | _____ |

*Rappel des consignes pour l'exercice*

- Identifier, à l'endroit prévu, une situation (tâche, projet, réalisation, etc.) pour laquelle vous désirez ressentir davantage de motivation.
- Inscrire, pour chacun des ingrédients de la motivation, dans la colonne **Expériences de référence**, une expérience (peu importe le contexte) où cet ingrédient était présent de façon intense. Choisir un moment dans votre vie où vous vous êtes senti pleinement **confiant**. L'inscrire dans la case appropriée.

Poursuivre de la même façon avec les quatre autres ingrédients.

- S'imaginer en train d'accomplir la tâche de départ (projet ou réalisation), ayant accès intérieurement à ces différents ingrédients.

Ce genre d'exercice est grandement utilisé en programmation neurolinguistique.

Il existe une autre façon d'utiliser les ingrédients de la motivation. La prochaine fois que vous manquerez de motivation, posez-vous les questions suivantes : « Quel est l'ingrédient de la motivation qui me manque présentement ? Que puis-je faire pour que cet ingrédient soit présent ? » Par exemple, chaque fois que Julie doit faire la comptabilité pour son entreprise, elle se sent démotivée. En se posant les questions précédentes, elle a découvert qu'elle manquait de confiance en elle, parce qu'elle ne connaissait pas suffisamment le logiciel qu'elle devait utiliser. Elle s'est donc inscrite à une formation en informatique. Depuis lors, elle maîtrise le fameux logiciel et a plus d'assurance, ce qui a contribué à augmenter sa motivation !

# 8 Comparez vos recettes de motivation

Vous est-il déjà arrivé de prendre conscience d'avoir réalisé deux activités semblables, et qu'à un moment vous ressentiez une grande motivation, alors qu'à un autre moment vous en manquiez totalement?

Identifiez l'une de ces activités :

_____

_____

Ce constat nous permet de découvrir que nous possédons tous différentes recettes de motivation. Certaines contribuent à notre succès et d'autres à notre insuccès. Il sera intéressant de comparer deux situations, l'une de succès et l'autre d'insuccès, pour en faire ressortir les distinctions. Vous verrez que nos recettes sont constituées d'ingrédients précis, que nous apprendrons à découvrir grâce à différentes questions.

Nous utiliserons les mêmes questions pour découvrir les recettes du succès et de l'insuccès. De plus, nous diviserons notre expérience en quatre aspects: le but; les indices de l'atteinte de ce but; les comportements et réactions; et l'attitude face aux obstacles.

## SUCCÈS ET INSUCCÈS

Voici donc les questions de l'exercice qui vous aidera à bien comprendre chacun des quatre aspects. Vous n'êtes pas obligé de répondre à toutes les questions.

## 1. But

Quel était mon but ?

Qu'est-ce qui caractérisait mon but ?

Comment me suis-je préparé ?

Qu'est-ce qui j'imaginais ?

## 2. Indices

Pendant la situation, sur quoi pouvais-je me fier pour savoir que j'étais dans la bonne direction ?

Comment savais-je que j'allais atteindre le but ?

## 3. Comportements

Qu'est-ce que je faisais exactement ?

Quelles furent mes actions ?

Comment mon but s'est-il matérialisé ?

## 4. Attitudes

Qu'ai-je fait face aux difficultés inattendues ?

Comment ai-je réagi ?

## Quatrième exercice : Découvrir sa recette de succès et d'insuccès

Rappel : la situation de départ doit être la même, mais à deux moments différents, ou les activités doivent être semblables.

Voici d'abord un exemple de l'exercice complété. Cela vous aidera par la suite à remplir le tableau.

| Situation où j'étais très motivé | Situation où je manquais de motivation |
|---|---|
| *Préparer un plan de cours X.* | *Préparer un plan de cours Y.* |
| **Quel était mon but ?** | **Quel était mon but ?** |
| *Répondre aux besoins des participants, leur donner des outils concrets, les aider à développer leur intelligence émotionnelle.* | *Réaliser un plan de cours qui réponde aux attentes de la personne responsable et qui puisse être choisi parmi deux autres plans de cours proposés.* |
| **Quels étaient les indices de succès ?** | **Quels étaient les indices d'insuccès ?** |
| *Rapidement, je me suis mise au travail. Je savais clairement quel était le résultat visé par le cours. Je souriais, j'avais les idées claires, le sentiment d'avancer et d'être productive.* | *J'avais de la difficulté à me mettre au travail, à me concentrer. J'étais distraite. Je n'avais pas d'idées, je ne savais pas trop quoi écrire. Je sentais une pression intérieure (j'avais la gorge nouée).* |
| **Quels étaient mes comportements et actions ?** | **Quels étaient mes comportements et actions ?** |
| *J'écrivais toutes mes idées comme elles venaient, les mettais en ordre par la suite. Je bougeais, j'étais active.* | *Je me tournais les cheveux, j'écrivais et je raturais, cherchant la façon parfaite de créer ce plan de cours, donc je n'étais jamais satisfaite.* |
| **Quelle fut mon attitude face aux obstacles ?** | **Quelle fut mon attitude face aux obstacles ?** |
| *Quand j'ai eu des hésitations, j'ai tout de suite posé des questions. Je passais à une autre section et j'y revenais après.* | *Je partais dans mes pensées, mon stress augmentait. J'étais comme paralysée.* |

**Q : Quelles différences importantes pouvez-vous déceler ? Soulignez vos réponses dans le texte.**

**Q : Comment savez-vous que vous êtes motivé ?**
*R : Quand je me mets dans l'action rapidement, quand j'ai des idées, que je me sens légère et que j'ai le sourire.*

**Q: Qu'est-ce qui est important pour que vous puissiez vous sentir motivé?**

*R: Que je connaisse le résultat voulu (avoir des détails, des précisions) et les individus impliqués pour personnaliser le plan de cours. Avoir une idée précise des différentes étapes nécessaires pour arriver au but.*

Cet exercice nous permet donc de découvrir les ingrédients personnels de notre recette de motivation. Par la suite, il s'agit de s'assurer que les ingrédients de cette recette de succès sont toujours présents!

## À VOUS DE JOUER!

La tâche à réaliser doit être la même des deux côtés.

| Situation où j'étais très motivé | Situation où je manquais de motivation |
|---|---|
| | |
| Quel était mon but? | Quel était mon but? |
| | |
| Quels étaient les indices de succès? | Quels étaient les indices d'insuccès? |
| | |
| Quels étaient mes comportements et actions? | Quels étaient mes comportements et actions? |
| | |

| Quelle fut mon attitude face aux obstacles ? | Quelle fut mon attitude face aux obstacles ? |
|---|---|
| _____ | _____ |
| _____ | _____ |
| _____ | _____ |

Q : Quelles différences importantes pouvez-vous déceler ? Soulignez vos réponses dans le texte.

Q : Comment savez-vous que vous êtes motivé ?

_____

_____

_____

Q : Qu'est-ce qui est important pour que vous puissiez vous motiver avec succès ? Qu'est-ce qui est différent lorsque vous êtes motivé ?

_____

_____

_____

**Que retenez-vous ?**

En quelques lignes, que retenez-vous d'important au sujet de votre recette du succès pour être motivé ?

_____

_____

_____

# 9 Différents catalyseurs de la motivation

Dans cette partie, nous avons vu qu'il existe différents moyens d'agir sur notre motivation. Je vous les résume en quatre catégories : soi-même, l'entourage (parents, amis, collègues), nos modèles ou sources d'inspiration, et le milieu environnant. Parfois, une seule de ces sources est suffisante pour se motiver, mais il peut être nécessaire de les combiner.

## SOI-MÊME

En choisissant vos **pensées** et vos **comportements**, vous serez votre propre source de motivation, car vous agirez sur votre état d'esprit, composante liée directement à l'intensité de votre motivation.

*Quels sont les énoncés qui vous motivent ?*

Je vous propose donc des trucs pour susciter des pensées qui vous aideront à vous motiver, plutôt qu'à vous nuire.

# Techniques pour penser positivement

- Pratiquez l'**autosuggestion** : pensez à des énoncés que vous avez avantage à vous répéter.
  - *Peu importe, j'y arriverai...*
  - *Je peux...*
  - *Je sais ce que je dois faire pour réussir ce travail.*
  - *Si je le fais, j'éviterai de...*

- Réservez dans votre agenda des **sessions de travail** (2 à 3 heures) et dressez des listes de tâches à accomplir.
- Utilisez l'**imagerie mentale** : visualisez-vous en train d'accomplir la tâche pour laquelle vous désirez davantage de motivation. Imaginez bien chacune des étapes, avec détachement et légèreté.
- Fixez-vous des **buts réalistes et significatifs** : savoir clairement où l'on va augmente la motivation.
- Reconnaissez **tous vos progrès**, chacun des pas vers le but.
- Considérez davantage le **chemin parcouru** que celui qui vous reste.

## *Moyens d'y arriver*

- **Bouger** : le sang circule alors plus rapidement, les cellules reçoivent plus d'oxygène et de substances nutritives, et le cerveau fonctionne mieux.
- **Se détendre** : cela permet aux cellules, aux organes, aux systèmes (respiratoire, circulatoire, émotionnel) de se reposer, de se ravitailler et de se régénérer.
- Avoir un **comportement productif** : répartir le travail en petites tâches, déterminer les comportements utiles et efficaces pour vous motiver en vous référant à votre recette de succès.

Que vous engagez-vous à faire pour vous aider à vous motiver davantage ?

_____

_____

_____

# L'ENTOURAGE

Il est très utile de connaître les personnes (parents, amis ou collègues) capables de vous motiver. En effet, il ne serait pas judicieux de vous confier à une personne qui n'a jamais le goût d'aller travailler le lundi, par exemple. Toutefois, il y a certainement dans votre entourage des gens qui peuvent vous appuyer et vous aider à retrouver votre motivation en cas de panne. Voici quelques suggestions pour vous aider à déterminer qui seront ces personnes pour vous.

- Choisissez des personnes qui savent se sortir aisément des complications ou des situations difficiles.
- Identifiez les personnes qui vous encouragent, vous comprennent, et avec qui vous vous sentez bien.
- Notez (**avant** une panne de motivation) à qui faire appel. (Dressez une liste de plusieurs personnes, au cas où certaines ne soient pas disponibles.) Les prévenir à l'avance en leur demandant si elles sont d'accord.
- Recherchez la **confiance et la disponibilité**.
- **Accédez à d'autres perspectives. Demandez aux personnes choisies comment elles perçoivent la situation. En effet, quand on est submergé par une émotion intense et qu'on ne ressent plus de motivation, il peut être difficile de voir la situation dans sa juste perspective. Parler de ce qu'on vit aux gens de son entourage peut aider à prendre du recul, mais pour cela on doit leur dire exactement ce qui s'est passé en leur présentant les faits, et non ses impressions, ce qui pourrait les tromper!**
- Rendez la pareille. Soyez là pour motiver les gens de l'entourage à votre tour: cela renforce les liens.

*Liste de personnes à contacter lors d'une panne de motivation :*

_____

_____

_____

_____

_____

_____

# SOURCES D'INSPIRATION

Je vous propose de penser à trois personnes qui vous inspirent et que vous aimeriez voir à vos côtés quand vous avez besoin de motivation. Par la suite, identifiez les comportements et les qualités que vous appréciez chez ces personnes. Un modèle n'est pas une personne qu'on idolâtre, mais qu'on admire et qui nous inspire. Il peut être quelqu'un de votre famille, de votre milieu de travail, une personnalité publique ou fantastique, pourquoi pas Superman!

## Qui sont vos modèles de motivation?

Modèle 1 :

_____

_____

Pourquoi ?

_____

_____

Modèle 2 :

_____

_____

Pourquoi ?

_____

_____

Modèle 3 :

_____

_____

Pourquoi ?

_____

_____

Lorsque vous aurez besoin de motivation, posez-vous ces questions :

- Que ferait mon modèle dans cette situation ?
- Qu'est-ce qu'il se dirait ?
- Comment se sentirait-il ?

Peut-être aurez-vous la chance de valider vos hypothèses auprès de vos modèles ? Ce sera toutefois difficile s'il s'agit de Superman ! Mais peu importe : ce qui compte, c'est de vous imprégner de leur énergie et de faire comme si vous aviez accès à leurs pensées et à leur vision des choses.

## LE MILIEU

Le milieu environnant est l'ensemble des lieux que vous fréquentez régulièrement, par exemple le bureau, la cuisine, le salon, l'établi, etc. Voici trois moyens de rendre ces lieux plus motivants :

- rendre l'espace environnant le plus sain possible quant à l'éclairage, au son et aux odeurs ;
- s'entourer d'objets inspirants : images, photos, citations ;
- rendre cet espace fonctionnel et ordonné.

Par exemple, si vous souhaitez lire davantage à la maison, aménagez-vous un coin avec fauteuil confortable et éclairage adéquat. Ainsi, votre environnement vous motivera à lire.

Qu'allez-vous modifier dans votre milieu environnant pour qu'il devienne une plus grande source de motivation ?

# Conclusion

Le cinquième élément de la poursuite et de l'atteinte de notre plein potentiel, c'est la motivation, un élément clé de la philosophie de l'iceberg. Nous ne pourrons jamais atteindre nos buts, nos rêves et une vie meilleure si nous n'arrivons pas à nous motiver pour persévérer dans l'effort.

Les êtres motivés arrivent à se réaliser pleinement malgré les embûches et les obstacles, parce qu'ils ont une vision de ce qu'ils veulent vraiment.

Possédez-vous cette vision ? Savez-vous précisément ce que vous voulez ? De quelle vie rêvez-vous ? Vivez-vous déjà la vie idéale ?

Voilà plusieurs questions qui demandent réflexion. Je vous invite à y réfléchir avant d'entamer la dernière partie de ce livre.

# Le mot de la fin

Je devais avoir dix ans lorsque, chez mon grand-père maternel, j'ai mis la main pour la première fois sur un livre, *La puissance de votre subconscient*. Je me suis dit: «Mais qu'est-ce que c'est que ça, le subconscient?»

Mon grand-père s'intéressait à ce genre de livres, j'ai d'ailleurs hérité de plusieurs de ses ouvrages il y a quelques années. Âgé aujourd'hui de plus de quatre-vingt-cinq ans, il n'a manifestement plus le goût de lire, mais il est fascinant de constater que nous partageons les mêmes intérêts.

C'est cependant vers l'âge de quinze ans que j'ai lu mon premier livre sur le sujet: *Pourquoi pas le bonheur?* de la Québécoise Michèle Morgan. Elle y parlait elle aussi du subconscient, mais j'ai surtout appris de ce livre qu'on peut façonner sa destinée, qu'on a le pouvoir de décider de sa vie. J'aimais bien l'idée d'avoir le contrôle de ma destinée, de pouvoir faire mes propres choix qui influenceraient le cours de ma vie. Et, fondamentalement, je savais que je voulais être heureuse avant tout.

Les gens qui me connaissent savent que, malgré mes nombreuses lectures, mes études et mes innombrables recherches sur le développement du potentiel humain, j'ai moi aussi eu des périodes où il m'a été plus difficile d'appliquer les concepts que j'enseigne. La vie est parsemée de merveilleux moments, mais aussi de difficultés. Lorsque tout va bien et que c'est le calme plat, il est facile d'appliquer ces théories, mais lorsque les vagues sont plus fortes et que la vie nous apporte certaines épreuves, ces concepts prennent tout leur sens, mais ils ne sont pas faciles à appliquer. C'est précisément dans ces moments-là qu'ils sont utiles.

C'est en travaillant sur le concept du présent ouvrage, assis dans la cuisine, Isabelle, Louis-Jean et moi, et en cherchant une image qui serait assez forte pour exprimer le potentiel caché à l'intérieur de soi, que l'idée de l'iceberg, cette immense masse de glace qui ne montre qu'une infime partie d'elle-même, est apparue.

Le concept du livre venait de naître : nous aussi avons une multitude de ressources cachées qui ne demandent qu'à émerger. Après avoir lu ce livre, je souhaite que votre route vers votre plein potentiel soit facilitée, et que vous laissiez émerger les richesses qui sommeillent en vous.

N'oubliez pas de mettre en application les exercices qui vous ont été proposés, c'est à mon avis la seule façon de tirer pleinement profit d'un ouvrage comme le mien. Mais, ce que je vous souhaite par-dessus tout, c'est d'être heureux, car comme je l'ai déjà dit, c'est le but ultime de tout être humain.

Nous avons souvent tendance à chercher des recettes de bonheur à l'extérieur de nous. Revenons vers l'intérieur, c'est là que se trouvent le véritable bonheur, le succès et notre plein potentiel.

Bonne route !

# Annexe 1

## CORRIGÉS

**Corrigé du deuxième exercice de la première partie (p. 42) :
Accroître la conscience de soi**

| Aspects | Signes physiques | Perceptions | Système sensoriel | Sentiments | Intentions | Actions |
|---|---|---|---|---|---|---|
| Histoire | Pincement au cœur. Serrement d'estomac. | Il s'était probablement passé quelque chose d'important. Elle s'est dit qu'elle pouvait y aller maintenant. | *Entendre*: Une mère entendit. *Voir*: Elle la vit qui parlait au téléphone. *Entendre*: Jusqu'à ce qu'elle n'entende plus rien. | Inquiète Soulagée | La consoler. Ne pas la déranger. Lui montrer qu'elle était là. | Se déplaça. Monta la rejoindre. Arriva devant la porte. Fit quelques pas en arrière. Se mit à faire les cent pas. Se dirigea vers sa chambre, s'approcha d'elle et la prit dans ses bras. |

**Corrigé des histoires de cas de la première partie**

| Histoire de cas n° 1 (p. 66) | Idées irréalistes | Confrontation (questions à se poser) | Idées réalistes |
|---|---|---|---|
| **Dévalorisation, infériorité** | *Je ne suis pas une bonne mère, je me sens nulle.*<br><br>Ma valeur personnelle est moindre, plus basse que celle d'une autre personne. | De quelle valeur suis-je en train de parler ?<br><br>Même lorsqu'elles me déplaisent, mes actions ou caractéristiques peuvent-elles me rendre minable ou nulle ? | Quoi que je fasse, je reste un être humain. Je ne suis pas ce que je fais. La valeur qu'on accorde à une autre personne n'est qu'une question d'opinion, et non un fait. |
| **Stress, anxiété** | *J'ai peur pour son avenir, que va-t-il devenir ? S'il fallait qu'il décroche de l'école, ce serait l'enfer.*<br><br>Peur : Un danger ou un ennui me menace.<br><br>Impuissance : Je suis plus ou moins capable d'y faire face. | Ma peur est-elle réelle ? En quoi consiste-t-elle ? Même si ce que j'appréhende arrivait, pourrais-je le supporter ? Serait-ce *réellement* la fin du monde ? | Cette situation peut être perçue comme pénible, difficile, non souhaitable, mais elle serait supportable. Si le danger (ma peur) est réel ou potentiellement réel, je peux probablement y survivre.<br><br>Dans ce cas, m'inquiéter ne servirait à rien d'autre qu'à diminuer ma capacité d'y faire face. (Dans ce cas-ci, être présente pour mon enfant et l'aider.) |

| Colère | Je lui en veux de ne pas avoir fait plus d'efforts. | Y a-t-il dans la réalité quelque chose qui interdisait à cette personne d'agir comme elle l'a fait ou qui l'obligeait à agir autrement ? | Même si ça me déplaît et que je ne suis pas d'accord (parce que cette mère souhaite à coup sûr le meilleur pour son fils), cette personne (le fils) avait parfaitement le droit (la possibilité) d'agir comme elle l'a fait ; la preuve, c'est qu'elle l'a fait. |
| --- | --- | --- | --- |
| | Cette personne devrait faire ce qu'elle ne fait pas. | Si tel est le cas, comment expliquer qu'il lui a été possible d'agir comme elle l'a fait ? | Avec les idées et les émotions qu'elle vivait, il lui était impossible d'agir autrement. Elle a agi, à ce moment-là, en fonction de ce qu'elle croyait bon pour elle. |
| | Cette personne aurait dû faire ce qu'elle n'a pas fait. | Qui suis-je pour exiger des autres qu'ils agissent selon mes désirs ? | |
| | Cette personne ne devrait pas faire ce qu'elle fait. | | |
| | Cette personne n'aurait pas dû faire ce qu'elle a fait. | | |

| Histoire de cas n° 2 (p. 66) | Idées irréalistes | Confrontation (Questions à se poser) | Idées réalistes |
|---|---|---|---|
| **Tristesse** | *C'est dommage, j'aimais mon travail.*<br><br>Ce qui m'arrive, m'est arrivé ou va m'arriver est dommage, désavantageux pour moi. | Puis-je démontrer avec certitude qu'il s'agit bien là d'une mauvaise affaire pour moi ?<br><br>Quels sont les désavantages réels ?<br><br>Est-ce possible que je ne voie pas actuellement les avantages à court, moyen ou long terme ?<br><br>Parce qu'une situation ne correspond pas à mes attentes, devient-elle une mauvaise affaire en soi ? | Dans la réalité, aucune chose n'est jamais bonne, mauvaise, avantageuse ou désavantageuse en soi. De plus, ce qui semble désavantageux aujourd'hui pourrait devenir avantageux plus tard. (Il est possible que je trouve un autre travail que j'apprécierai davantage, avec de meilleures conditions.) Ce n'est qu'en fonction de mes intérêts et de mes désirs que je proclame cela, mais je n'ai aucune preuve de ce que j'affirme. |

| | | | |
|---|---|---|---|
| **Culpabilité** | J'aurais dû m'investir et m'impliquer davantage. J'aurais pu aller suivre la formation de perfectionnement qu'on m'avait suggérée.<br><br>Je n'aurais pas dû faire ce que j'ai fait.<br>J'aurais dû faire ce que je n'ai pas fait. | Y a-t-il dans l'univers une loi qui m'interdisait d'agir comme je l'ai fait ou qui m'obligeait à agir autrement?<br>Le fait que j'ai posé ce geste ne prouve-t-il pas qu'il m'était possible de le faire?<br>Avec les idées que j'avais et les émotions que je vivais à ce moment-là, m'était-il possible d'agir autrement? | Dans la réalité, rien ne m'obligeait à agir autrement... puisque je l'ai fait.<br>De plus, avec les idées que j'avais et les émotions que je vivais à ce moment-là, il m'était impossible d'agir autrement.<br><br>(Note: Il est important de distinguer la culpabilité de la responsabilité. Je peux être responsable d'un geste, mais en ressentir de la culpabilité ne réparera pas mes actes. Par contre, me sentir responsable me permettra peut-être d'agir différemment à l'avenir.) |
| **Découragement** | À mon âge, je n'arriverai jamais à retrouver un emploi stable. Ça ne marchera pas, je me sens accablée.<br><br>Je n'arriverai jamais à accomplir ce que je désire.<br>Je n'arriverai jamais à obtenir ce que je veux. | Puis-je prouver avec certitude que je n'y arriverai jamais?<br>Est-il possible que, jusqu'à maintenant, je n'aie pas pris les moyens adéquats ou que je n'aie pas fait les efforts suffisants pour atteindre mes objectifs?<br>Par le passé, n'ai-je pas obtenu, en partie ou en totalité, ce que je désirais grâce à mes efforts? | La réalité, c'est que je n'ai effectivement pas la certitude d'atteindre mon objectif. Mais si j'y mets les efforts et que j'utilise les bons moyens, j'y arriverai probablement. Plus je mets d'efforts, plus j'augmente mes chances d'obtenir ce que je désire. |

# Annexe 2

## GLOSSAIRE DES IDÉES AUX ÉMOTIONS

Source : inspiré d'un document du CFPPERQ et de l'approche émotivo-rationnelle.

Livre : *Émotion, quand tu nous tiens*, Stéphanie Milot, 2005.

### Anxiété

L'anxiété est une émotion composée de **peur et d'impuissance**.

*Émotions dans la même famille :*
Affolement, angoisse, appréhension, crainte, doute, effroi, épouvante, frayeur, gêne, hantise, inquiétude, méfiance, tourment, phobie, stupeur, terreur, timidité.

*Idées irréalistes :*
Peur : Un danger ou un ennui me menace.
Impuissance : Je suis plus ou moins capable d'y faire face.

*Expressions usuelles :*
Peur : J'ai peur de…
Impuissance : Je me sens impuissant. C'est épouvantable, insupportable, invivable, catastrophique. C'est l'enfer.

*Questionnement :*
- Le danger est-il réel ?
- En quoi consiste-t-il exactement ?
- Où en est la preuve ?

- Même si cela arrivait, pourrais-je le supporter ?
- En quoi cela serait-il affreux, horrible, la fin du monde ?
- Pourrais-je encore vivre après cela ?
- Est-il exact d'affirmer que je suis incapable d'éviter ce danger ou cet ennui, ou incapable d'y faire face ?
- Sur quoi je me base pour arriver à cette conclusion ?
- Que pourrait-il arriver de pire ?

*Idées réalistes :*
Cette situation (événement) peut être perçue comme pénible, difficile, non souhaitable, mais supportable. Si le danger est réel ou potentiellement réel, je peux probablement y survivre. Dans ce cas, m'inquiéter ne servirait à rien d'autre qu'à diminuer ma capacité à y faire face.

## Hostilité

*Émotions dans la même famille :*
Agacement, frustration, intolérance, impatience, irritation, exaspération, colère, animosité, rage, ressentiment, fureur.

*Idées irréalistes :*
Cette personne devrait faire ce qu'elle ne fait pas.
Cette personne aurait dû faire ce qu'elle n'a pas fait.
Cette personne ne devrait pas faire ce qu'elle fait.
Cette personne n'aurait pas dû faire ce qu'elle a fait.

*Expressions usuelles :*
Il n'avait pas le droit…
Il n'est pas correct de faire cela.
Pour qui se prend-il ?
Il devrait faire…
Elle aurait dû…
C'est de sa faute.
Elle ne devrait surtout pas faire cela.

### Questionnement :

- Y a-t-il dans la réalité quelque chose qui interdise à cette personne d'agir ainsi ou qui l'oblige à agir autrement ?
- Si tel est le cas, comment expliquer qu'il lui a été possible d'agir comme elle l'a fait ?
- Qui suis-je pour exiger des autres qu'ils agissent selon mes désirs ?

### Idées réalistes :

Cette personne a pleinement et parfaitement le droit d'agir comme elle l'a fait, même si cela me déplaît. La preuve, c'est qu'elle l'a fait. Avec les idées qu'elle avait et les émotions qu'elle vivait, il lui était impossible d'agir autrement. Elle a agi en fonction de ce qu'elle croyait bon pour elle à ce moment-là.

## Découragement

### Émotions dans la même famille :

Abattement, accablement, désespoir, écœurement.

### Idées irréalistes :

Je n'arriverai pas à accomplir ce que je désire.
Je n'arriverai pas à obtenir ce que je veux.

### Expressions usuelles :

Ça ne marchera pas.
Je n'y arriverai jamais ; j'ai tout essayé.
C'est toujours pareil ; rien ne marche.
Ça ne change pas et ça ne changera jamais.
Il n'y a rien à faire.

### Questionnement :

- Puis-je prouver avec certitude que je n'y arriverai jamais ?
- Est-il possible que, jusqu'à maintenant, je n'aie pas pris les moyens adéquats ou que je n'aie pas fait les efforts suffisants pour atteindre mes objectifs ?
- Par le passé, n'ai-je pas obtenu, en partie ou en totalité, ce que je désirais grâce à mes efforts ?

*Idées réalistes:*
Je n'ai pas la certitude d'atteindre mon objectif, mais si j'y mets les efforts et que j'utilise les bons moyens, j'y arriverai probablement. Plus je mets d'efforts, plus j'augmente mes chances d'obtenir ce que je désire..

## Révolte

La révolte peut être ressentie par rapport à une situation, une chose ou un événement, et **non par rapport à une personne**.

*Idées irréalistes:*
Cette situation devrait être autrement.
Cette situation aurait dû se passer ainsi.
Cette situation ne devrait pas être autrement.
Cette situation n'aurait pas dû être ainsi.

*Expressions usuelles:*
Cela ne devait pas arriver.
Cela devrait être autrement.
Ce n'est pas normal.
Je ne mérite pas cela.
C'est injuste.
Ça m'enrage.

*Questionnement:*
- Ce qui peut me paraître souhaitable ou préférable devient-il automatiquement obligatoire ?
- Existe-t-il une loi qui dit que la réalité doit correspondre à mes désirs ?
- Comment expliquer que la réalité soit comme elle est, et non comme j'aurais voulu qu'elle soit ?

*Idées réalistes:*
Les choses sont ce qu'elles sont, même si cela me déplaît. Rien n'oblige la réalité à se conformer à mes désirs.

# Infériorité

*Émotions dans la même famille:*
Dévalorisation, indignation.

*Idées irréalistes:*
Ma valeur personnelle est moindre que celle d'une autre personne.

*Expressions usuelles:*
Je ne vaux rien.
Je suis nul.
Je ne suis pas grand-chose.
Il vaut plus que moi.
Je suis stupide, minable, niais…

*Questionnement:*
- De quelle valeur est-ce que je parle?
- Même lorsqu'elles me déplaisent ou déplaisent aux autres, mes actions ou mes caractéristiques peuvent-elles me rendre minable, bon à rien, nul, mauvais?
- Quoi que je fasse, est-ce que je serai toujours un être humain?
- Est-ce possible que mes actions puissent changer quelque chose à ce que je suis?

*Idées réalistes:*
Quoi que je fasse, je reste un être humain. Je ne suis pas ce que je fais.
La valeur qu'on accorde à une autre personne n'est qu'une question d'opinion, et non un fait.

# Jalousie

La jalousie est une émotion composée d'anxiété, d'hostilité et d'infériorité.

*Idées irréalistes:*
(Voir les idées irréalistes de l'anxiété, de l'hostilité et de l'infériorité.)

*Expressions usuelles:*
Il n'a pas le droit de me faire cela.
Elle n'est pas correcte.
Je ne mérite pas cela.
Qu'a-t-elle de plus que moi?

*Questionnement:*
- Par rapport à quoi est-ce que je ressens de la jalousie?
- Quel danger y vois-je?

(Voir les questionnements sur l'anxiété, l'hostilité et l'infériorité.)

*Idées réalistes:*
(Voir les phrases réalistes de l'anxiété, de l'hostilité et de l'infériorité.)

## Culpabilité

*Émotions dans la même famille:*
Contrition, repentir, regret, remords.

*Idées irréalistes:*
Je n'aurais pas dû faire ce que j'ai fait.
J'aurais dû faire ce que je n'ai pas fait.

*Expressions usuelles:*
Je me sens coupable, responsable.
Je n'ai pu m'en empêcher.
Je ne pouvais faire autrement.
Il fallait que...
C'est de ma faute.
J'aurais dû...
Je n'aurais pas dû...

*Questionnement:*
- Y a-t-il dans l'univers une loi qui m'interdisait d'agir comme je l'ai fait ou qui m'obligeait à agir autrement?
- Le fait que j'ai posé ce geste ne prouve-t-il pas qu'il m'était possible de le faire?

- Avec les idées que j'avais et les émotions que je vivais à ce moment-là, m'était-il possible d'agir autrement?

### Idées réalistes:

Dans la réalité, rien ne m'obligeait à agir autrement... puisque je l'ai fait. De plus, avec les idées que j'avais et les émotions que je vivais à ce moment-là, il m'était impossible d'agir autrement.

(Note: Il est important de distinguer la culpabilité de la responsabilité. Je peux être responsable d'un geste, mais en ressentir de la culpabilité ne réparera pas mes actes.)

## Tristesse

### Émotions dans la même famille:

Ennui, peine, désappointement, déception, chagrin, affliction, nostalgie, mélancolie, amertume, apitoiement.

### Idées irréalistes:

Ce qui m'arrive, m'est arrivé ou va m'arriver est dommage, désavantageux pour moi.

### Expressions usuelles:

C'est triste.
C'est dommage, désavantageux, désagréable.
C'est une bien mauvaise affaire pour moi.

### Questionnement:

- Puis-je démontrer avec certitude qu'il s'agit bien là d'une mauvaise affaire pour moi?
- Quels sont les désavantages réels?
- Est-ce possible que je ne voie pas actuellement les avantages à court, à moyen ou à long terme?
- Parce qu'une situation ne correspond pas à mes attentes, devient-elle une mauvaise affaire en soi?

*Idées réalistes:*

Dans la réalité, aucune chose n'est jamais bonne, mauvaise, avantageuse ou désavantageuse en soi. De plus, ce qui semble désavantageux aujourd'hui pourrait devenir avantageux plus tard. Ce n'est qu'en fonction de mes intérêts et de mes désirs que je proclame cela, mais en fait je n'ai aucune preuve de ce que j'affirme.

# Remerciements

Tout d'abord, Isabelle, merci un million de fois à toi sans qui ce livre n'aurait sans doute pas vu le jour. Je sais que tu y as travaillé comme si c'était le tien et je l'apprécie tellement. Disons que c'est le nôtre et que tu m'as fait tout un honneur en acceptant non seulement d'y participer, mais aussi d'y investir plusieurs mois de ta vie au cours d'une période si surchargée pour toi. Louis-Jean, quel plaisir de me réveiller tous les matins à tes côtés. Tu es un homme tellement merveilleux, généreux et si agréable à vivre. Merci d'être toujours là pour moi.

Papa, merci à toi aussi d'avoir toujours été présent pour moi. Tu as incontestablement réussi ta mission de père extraordinaire. Si j'avais eu à choisir, je n'aurai pas pu choisir un meilleur Daddy. Je t'aime.

Maman, ce qui m'a toujours impressionnée, c'est ta capacité à t'émerveiller devant les petites choses de la vie. Une fois de plus, en voyage pour l'écriture de ce livre, j'ai retrouvé cela chez toi. Tu avais raison, les soirées étaient beaucoup plus extraordinaires en ta compagnie. Je t'aime.

Henriette et Paul, je vous l'ai déjà dit, je ne pouvais pas tomber dans une meilleure belle-famille que vous. Marie, Ève et Claude, vous êtes des personnes de grand cœur.

À toute ma famille, Nicole, Pierre, Maude et Marc, grand-papa, grand-maman, je souhaite que la vie soit bonne pour vous.

Christelle, merci pour ton travail extraordinaire au sein de SCSM et du Club du succès. Je me félicite tous les jours de t'avoir embauchée. Tu es vraiment une fille spéciale.

Marie-Josée, je suis très heureuse que tu te sois jointe à notre équipe l'an dernier. Tu rends définitivement notre entreprise meilleure.

Marie-Hélène, merci pour le travail magistral que tu fais pour nous. Tu nous es d'une aide précieuse et je tenais à te le souligner.

Sonia, mon amie de toujours. Je me souviens encore de notre rencontre, il y a plus de 20 ans déjà. Et que dire de Robert, cet homme si merveilleux. Et ma belle Kayla, je suis tellement fière d'être ta marraine.

Nathalie, c'est drôle comment la vie fait bien les choses. Le destin voulait aussi qu'on se croise et j'en suis vraiment heureuse. Tu es tellement une fille inspirante. Et toi, cher Patrick, quel homme de cœur tu es. Merci de faire partie de notre vie à Louis-Jean et à moi. Maxime et Alexia, vous êtes des petits êtres tellement merveilleux.

À mes amies de longue date, Julie et Céline. Même si je ne vous vois pas souvent, c'est toujours un plaisir de vous retrouver. Louise et Gaétan, merci d'être toujours aussi attentionnés pour moi.

Merci aussi à Stéphane, Karine, Patrick, Jacynthe, Christian et Sylvie, Sylvio, Tristan, Sammy, Nicole, Claude, Sébastien et Pascale.

Et à tous les gens qui croisent ma route au quotidien, merci de faire partie de ma vie.

# Bibliographie

ADAMS, Linda. *Communication efficace: Pour des relations sans perdant*, Montréal, Les Éditions de l'Homme, 2005.

AUGER, Lucien. *La démarche émotivo-rationnelle en psycho-thérapie et relation d'aide: Théorie et pratique*, Montréal, Éditions Ville-Marie, 1986.

AUGER, Lucien. *L'amour: De l'exigence à la préférence*, Montréal, Les Éditions de l'Homme, 1979.

AUGER, Lucien. *S'aider soi-même: Une thérapie par la raison*, Montréal, Les Éditions de l'Homme, 1974.

BECK, A.T. et G. EMERY. *Anxiety disorders and phobias: A cognitive perspective*, New York, Basic Books, 1985.

BECK, A.T., A.J. RUSH, B.F. SHAW et G. EMERY, *Cognitive therapy of depression; A treatment manual*, New York, Guilford, 1979.

BOURCIER, C. et Y. PALOBART. *La reconnaissance: Un outil de motivation pour vos salariés*, Paris, Les Éditions d'Organisation, 1997.

BRUN, J.-P. et N. DUGAS. *La reconnaissance au travail: Une pratique riche de sens*, Chaire en gestion de la santé et de la sécurité au travail dans les organisations, Université Laval, 2002.

BURNS, David. *Être bien dans sa peau*, Saint-Lambert, Éditions Héritages, 1985.

CARTIER, François et Corinne BOURGAULT. « La politique au travail: comment faire grandir son influence ? », chronique *Carrières et profession*, http://www.jobboom.com/chroniques/salutbonjour/chronique_3994.html

CHABOT, Daniel. *Maîtrisez vos émotions par l'intelligence émotionnelle*, Outremont, Les Éditions Quebecor, 2000.

CHARVET, Shelle Rose. *Le plein pouvoir des mots: maîtriser le langage d'influence*, Brossard, Éditions pour tous, 2004.

CHILDRE, Doc et Howard MARTIN. *L'intelligence intuitive du cœur: La solution HeartMath*, Outremont, Ariane Éditions, 2005.

CORMIER, Solange. *Dénouer les conflits relationnels en milieu de travail*, Sainte-Foy, Presses de l'Université du Québec, 2004.

DAVID, I., F. LAFLEUR et J. PATRY. *Des mots et des phrases qui transforment: la programmation neurolinguistique appliquée à l'éducation*, Montréal, Éditions Chenelière, 2004.

DE RUBEIS, R.J. et A.T. BECK. « Cognitive therapy », dans Dobson, K.S. (Ed.), *Handbook of Cognitive Behavioral Therapy*, New York, London, 1988.

DE WILDE, Marc. « L'humour dans l'entreprise », www.mdwservices. com.

DUBOIS, Pierre. *Le sentiment d'appartenance du personnel*, Outremont, Éditions Quebecor, 2005.

Dufour, Michel. *Allégories II: Croissance et harmonie*, Chicoutimi, Les Éditions JCL, 1997.

ELLIS, Albert. *Reason and Emotion in Psychotherapy*, New York, Lyle Stuart, 1962.

EMOTO, Masaru. *Les messages cachés de l'eau*, Éditions Guy Trédaniel, 2004.

FORTIN, B. « Les émotions et la santé », *Psychologie Québec*, janvier 2002, p. 25-28.

FRIEDMAN, H.S. et S. BOOTH-KEWLEY. « The "disease-prone personality": A meta-analytic view of the construct », *American Psychologist*, 42, 1987, p. 539-555.

GARDNER, Howard. *Les formes de l'intelligence*, Paris, Éditions Odile Jacob, 1997.

GOLEMAN, Daniel. *L'intelligence émotionnelle: Accepter ses émotions pour s'épanouir dans son travail*, tome II, Paris, Éditions Robert Laffont, 1999.

GOLEMAN, Daniel. *L'intelligence émotionnelle: Comment transformer ses émotions en intelligence*, Paris, Robert Laffont, 1997.

GOLEMAN, D., R. BOYATZIS et A. MCKEE. *L'intelligence émotionnelle au travail*, Paris, Village Mondial, 2002.

HERBERT, T.B. et S. COHEN. « Depression and Immunity: A meta-analytic review », *Psychological Bulletin*, 113, 1993, p. 176-185.

Kiecolt-Glaser, J.K., J.-R. Dura, C.E. Speicher, O.J. Trask et R. Glaser. « Spousal caregivers of dementia victims : Longitudinal changes in immunity and health », *Psychosomatic Medecine,* 53, 1991, p. 345-362.

Kiecolt-Glaser, J.K., P.T. Marucha, W.B. Malarkey, A.M. Mercado, et R. Glaser. « Slowing of wound healing by psychological stress », *Lancet,* 346, 1995, p. 1194-1196.

Laprise, Natacha. *Le stress, l'épuisement professionnel et la violence au travail,* Syndicat des fonctionnaires municipaux de Montréal en collaboration avec le Syndicat canadien de la fonction publique (SCFP), santé et sécurité au travail, 2001.

Larivey, Michelle. *La puissance des émotions : Comment distinguer les vraies des fausses,* Montréal, Les Éditions de l'Homme, 2002.

Lencioni, Patrick. *Optimisez votre équipe,* Saint-Hubert, Un monde différent, 2005.

Lundin, Stephen C., Harry Paul et John Christensen. *Fish ! : Comment s'épanouir au travail et y prendre goût,* Éditions Michel Lafon, 2001.

Mehrabian, A. *Nonverbal Communication,* Aldine, 1972.

Mercier, Jean-Pierre. *La motivation des employés : Le moteur de l'efficacité,* Outremont, Éditions Quebecor, 2002.

Milot, Stéphanie. *Émotion quand tu nous tiens !,* Outremont, Les Éditions Quebecor, 2005.

Peacock, Fletcher. *Arrosez les fleurs, pas les mauvaises herbes,* Montréal, Les Éditions de l'Homme, 1999.

*Petit Larousse de la psychologie.* Paris, Édition Larousse-HER, 1999.

Robbins, Anthony. *L'éveil de votre puissance intérieure,* Genève, Édi-Inter, Montréal, Le Jour, éditeur, 1993.

Robbins, Anthony. *Pouvoir illimité,* Paris, Robert Laffont, 1986.

Rokeach, Milton. *The Nature of Human Values,* New York, Free Press, 1973.

Schermerhorn, J.-R. *et al. Comportement humain et organisation,* Saint-Laurent, Éditions du Renouveau Pédagogique, 1994.

Servan-Schreiber, David. *Guérir le stress, l'angoisse et la dépression sans médicaments ni psychanalyse,* Paris, Éditions France Loisirs, avec l'autorisation des Éditions Robert Laffont, 2003.

TREMBLAY, Jean-Luc. *La performance par le plaisir*, Montréal, Éditions Transcontinental, 2006.

VALLERAND, Robert J. « Le plaisir dans tous ses états », *Notre-Dame*, juillet-août 2005, propos recueillis par Brigitte Trudel.

VINIT, Florence. « Les bienfaits du rire », www.drclown.ca

WEISINGER, Hendrie. *L'intelligence émotionnelle au travail*, Montréal, Les Éditions Transcontinental, 1998.

WEISINGER, Hendrie. *L'intelligence émotionnelle au travail : Gérer ses émotions et améliorer ses relations avec les autres*, Montréal, Les Éditions Transcontinental, 2005.

WHITMORE, John. *Le guide du coaching*, Paris, Maxima, 2005.

**Sites Internet**

http://management.journaldunet.com
www.cgsst.com/reconnaissance/fra/definition.a
www.cgsst.com/reconnaissance/fra/huit_criteres_de_qualite. asp
www.revue-rnd-qc.ca

**Vidéo**

VACHON, Marc. *S'adapter à un environnement changeant*, www.oserchanger.com.

Pour réserver les services de l'auteur
en conférence et en psychothérapie :
www.stephaniemilot.com
450 978-2725

# Table des matières

# CINQUIÈME PARTIE

Achevé d'imprimer au Canada
sur papier Quebecor Enviro 100 % recyclé
sur les presses de Quebecor World Saint-Romuald